Marimekko Designers
-Life and Creations

Introduction

フィンランドのアーティストたちの暮らしを訪ねると
いつも、そこにはマリメッコがありました。
手づくりのクッションの生地や、キッチンのオーブンミトン
お気に入りのワンピースに、コーヒーをいれたカップ。
おじいちゃんやおばあちゃんから、小さな子どもまで
自分の国で生まれた、デザインを愛用しています。
太陽や海、緑あふれる森、そんな身近にある景色と同じように
マリメッコは、とても自然に暮らしにとけこんでいました。

こうして、フィンランドを訪ねるたびに、
マリメッコのことが、ますます気になっていた私たちは
ヘルシンキ郊外にある、マリメッコ本社とプリント工場
デザイナーたちの住まいやアトリエを訪ねることにしました。

シンプル、大胆、グラフィカル、ポエティック……
マリメッコをあらわすことばは、多種多様。
ここで、ものづくりにたずさわる人たちも
デザインと同じく個性豊かで、それぞれの創作の翼を
自由に広げている様子を、かいま見ることができました。
そして、みんなの仕事場や暮らしの中にも、やっぱりマリメッコ！
素敵なデザインのうしろには、魅力的な人々のあたたかい笑顔があります。
いつまでも、どこででも、だれにでも、愛される
マリメッコが生まれる場所を、さぁ、訪ねてみましょう。

ジュウ・ドゥ・ポゥム

Aino-Maija Metsola

Contents

マイヤ・ロウエカリ
Maija Louekari ········· 6
designer, Home Visit

アヌ・ペンッティネン
Anu Penttinen ········· 14
designer, Home Visit

サミ・ルオツァライネン
Sami Ruotsalainen ········· 22
designer, Home Visit

ニナ・ピルホネン
Nina Pirhonen ········· 30
designer, Home Visit

イソラ・ファミリー
The Isola Family ········· 38
designers, Home Visit

マリメッコのおうちへようこそ！
Welcome to the Home of Marimekko! ······ 46

オフィスで見つけた素敵なディスプレイ
Finding Decor Ideas in the Company ······ 48

サミさんのアトリエに、こんにちは
Visiting Sami's Studio ········· 52

大田舞さんのアトリエに、こんにちは
Visiting Mai's Studio ········· 55

アートワーク・スタジオに、こんにちは
Visiting the Artwork Studio ········· 58

ファブリックが生まれる工場を見学
The Fabric Printing Plant ⋯⋯⋯⋯⋯⋯⋯⋯ 60

アイノ＝マイヤ・メッツォラ
Aino-Maija Metsola ⋯⋯⋯⋯⋯⋯⋯⋯⋯⋯ 66
designer, Studio Visit

トゥーラ・ポイホネン
Tuula Pöyhönen ⋯⋯⋯⋯⋯⋯⋯⋯⋯⋯⋯⋯ 74
designer, Studio Visit

ノーラ・ニイニコスキ
Noora Niinikoski ⋯⋯⋯⋯⋯⋯⋯⋯⋯⋯⋯⋯ 80
head of fashion design at Marimekko, Studio Visit

ミンナ・ケメル＝クトゥヴォネン
Minna Kemell-Kutvonen ⋯⋯⋯⋯⋯⋯⋯⋯ 88
creative director at Marimekko, Studio Visit

マリメッコのみんなが集まる食堂 マリトリ
Maritori ⋯⋯⋯⋯⋯⋯⋯⋯⋯⋯⋯⋯⋯⋯⋯⋯ 94

エルヤ・ヒルヴィ
Erja Hirvi ⋯⋯⋯⋯⋯⋯⋯⋯⋯⋯⋯⋯⋯⋯⋯ 98
designer, Studio Visit

サトゥ・マーラネン
Satu Maaranen ⋯⋯⋯⋯⋯⋯⋯⋯⋯⋯⋯⋯ 104
designer, Studio Visit

イェンニ・トゥオミネン
Jenni Tuominen ⋯⋯⋯⋯⋯⋯⋯⋯⋯⋯⋯⋯ 110
designer, Home Visit

マリメッコのお店でお買い物
Shopping in Helsinki & Tokyo ⋯⋯⋯⋯⋯ 118

Home Visit

Maija Louekari

designer

マイヤ・ロウエカリ

ステラちゃんとコスモくんのママでもある
マイヤさんの創作の場所は、自宅のダイニング。
マイヤ・イソラさんがデザインした「ロッキ」のクロスを
テーブルに広げて、ここからお仕事がはじまります。
「キッピス」「シイルトラプータルハ」「カルクテイッラ」
ひとめでこころに残るモチーフのデザイン画がずらり。
街の風景や人々、身のまわりの小さなものごとが、
インスピレーションソースというマイヤさん。
暮らしの中から、いきいきとしたデザインが生まれます。

ロッキ Lokki かもめ / キッピス Kippis 乾杯 / シイルトラプータルハ Siirtolapuutarha 市民農園 / カルクテイッラ Karkuteilla 逃走者

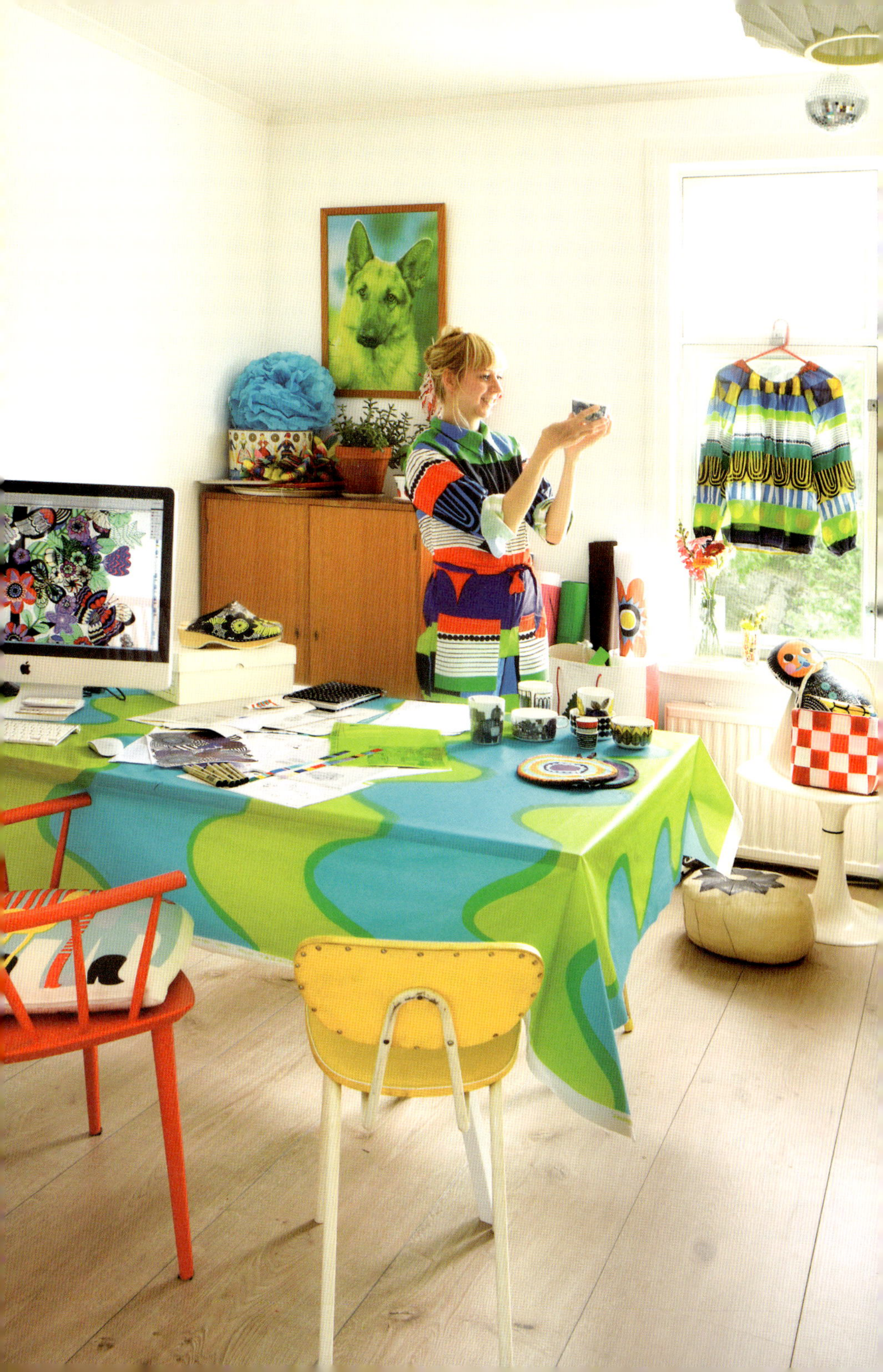

ヴィヴィッドな色とモチーフたちの楽しいおしゃべり

ヘルシンキ北部にある、カラフルな木造の集合住宅が建ち並ぶ美しいエリアに、家族4人で暮らすマイヤさん。彼女デザインの「リィジィ」のファブリックで、お母さんが手づくりしてくれたカバーオールを着て迎えてくれました。エスプラナーディ公園の風景を描いた「ヘトキア/モメンツ」が2003年のコンペティションで賞に輝き、マリメッコでデザイナーとしてデビュー。しゃべりかけてくるような楽しさにあふれる、マイヤさんのデザイン。ステラちゃんとお絵描きをしているときに、新しいアイデアが浮かぶことも。毎日の暮らしと創作が結びついている様子が感じられました。

暖炉には旅の思い出の品をディスプレイ。いちばん右側の手の形のペンスタンドは、バルセロナで見つけたお気に入り。赤いイスの上には「カルクテイッラ」柄のクッションを置いて。

リィジィ Ryijy ウォールラグ（フィンランドのタペストリー）
ヘトキア / モメンツ Hetkiä/Moments ひととき / カルクテイッラ Karkuteilla 逃走者

左上：イラストレーターとして活躍するご主人のカスパーさんと子どもたちと一緒に。右上：切なげな瞳にひかれて購入した犬の古い写真。左中：数年前クリスマスのためにデザインした「パッカネン」柄の缶は、旅の思い出の貝がら入れに。左下：ユニークな視点でつづるデザインブログをまとめたカスパーさんの著書。右下：「ティルックタッキ」のデザインにもとになった紙の色あわせに夢中のステラちゃん。

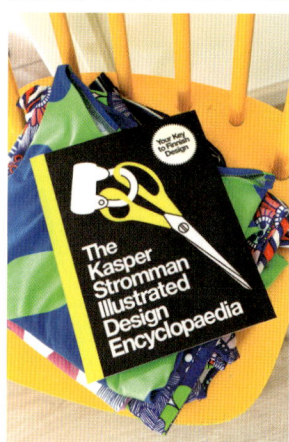

パッカネン Pakkanen 霜 / ティルックタッキ Tilkkutäkki パッチワーク

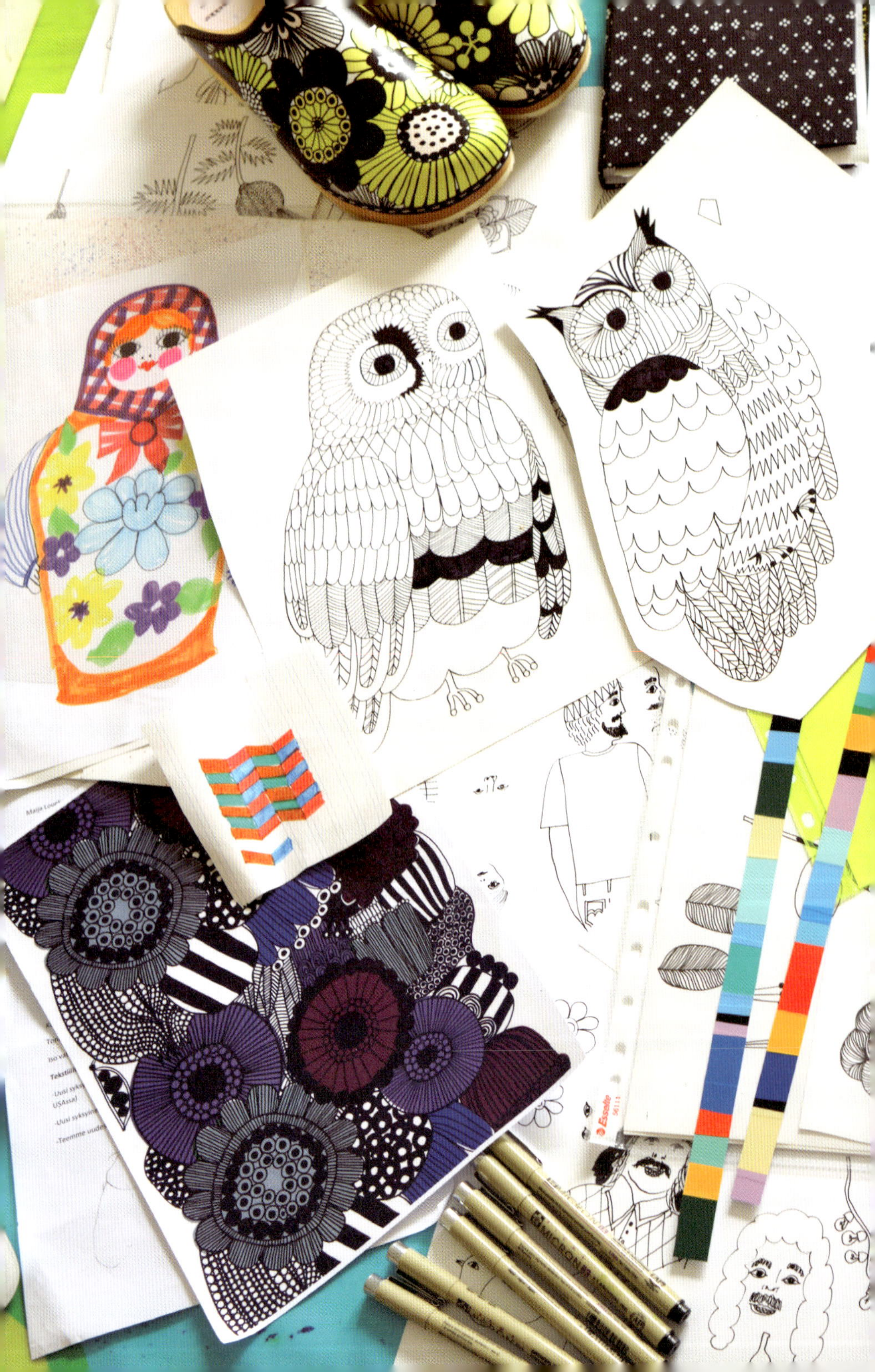
Esselte
MICRON

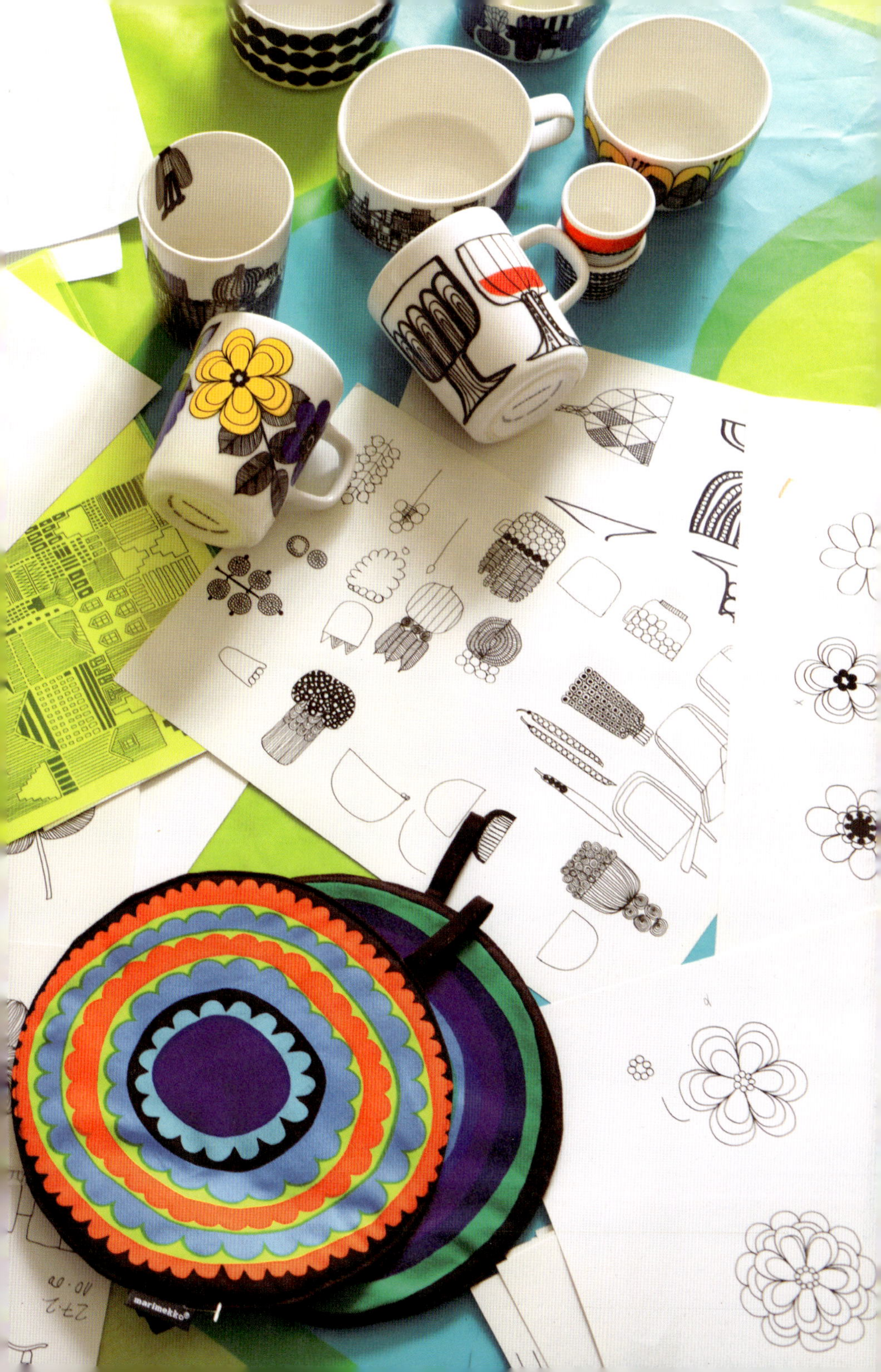
marimekko

左上：マイヤさんがパターンデザインを手がけた、ヘルシンキの音楽フェス「フロー・フェスティバル」とマリメッコのコラボ・アイテム。右上：「ラシィマット」柄のシーツの上に寝かせた魚のぬいぐるみは、ステラちゃんのお気に入り。左下：パパと一緒にお絵描き。右中：ポスターの前のたまご型クッションはイースターのショップディスプレイのために。右下：2011年からコラボレーションがはじまったコンバースのスニーカー。

ラシィマット Räsymatto 使いこまれたラグ

「ティルックタッキ」のカーテンに、「ポンプラ」「ラシィマット」のベッドリネンをあわせて。ミックス・コーディネートが楽しいベッドルームでは、カラフルな夢が見られそう。

ティルックタッキ Tilkkutäkki パッチワーク
ポンプラ Pompula ポンポン
ラシィマット Räsymatto 使いこまれたラグ

Home Visit

Anu Penttinen

designer
アヌ・ペンッティネン

くるくるっとおろした靴下のようにリラックスして。
そんなチャーミングなコンセプトで、カラフルな
ガラスのテーブルウェアをデザインしたアヌさん。
その名も「ソックス・ロールド・ダウン」シリーズ。
マリメッコとのはじめてのコラボレーションです。
創作のときには、クライアントさんと話しあったら
あわてずにその時が訪れるまで、なにもせずにいるのが
アヌさんのスタイル。ゆったりと自分らしく取り組もうよ！
きらきら輝くガラスたちも、そう語りかけているようです。

OH NO,
CASIO
STOLE
THE NU
MBERS

ガラスの郷から生まれる、チャーミングなガラスたち

ガラスデザイナーで職人のアヌさんが犬のマギとエステリと一緒に暮らすヌータヤルヴィは、ヘルシンキから北に160kmの距離にある美しい森と湖の村。ここには1793年創立のファクトリーがあり、多くのデザイナーやガラス吹き職人たちが暮らす、フィンランドのガラスの郷のひとつです。アヌさんは、はじめてこの地を訪れた2002年にこの家の紹介を受けて、ひとめぼれ。実はオイヴァ・トイッカやカイ・フランクも暮らしたという歴史ある建物でした。カーテンなどインテリア・ファブリックに、マリメッコのパターンを大胆に取り入れて、ユニークなコーディネートを楽しんでいます。

ご両親のおうちの物置小屋で見つけた、はしごを持ち帰り、黒くペイントして本棚に。壁面にはいきいきとしたオレンジにひかれた、フィンランドのアーティスト、アンニーナ・ミカマの絵画も。

左上：美しいカラーバリエーションが魅力の「ヴィトリーニ」は、アヌさんがイッタラから発表したもの。右上：アヌさんの手がけたガラス作品。左中：「ソックス・ロールド・ダウン」のステムグラスを手に。左中：アヌさんのブランド、ノウノウ・デザインから発表しているマグネット。右下：玄関のドアは、60年代半ばにオイヴァ・トイッカがペイント。犬のマギが外の様子をうかがっています。

カーテンはアンナ・ダニエルソンがデザインしたマリメッコの「フォクス」、クッションはスウェーデンのティオ・グルッペン、デンマークのヘイ、アフリカの生地などを使って、ミックス・コーディネート。

フォクス Fokus 焦点

左上：アヌさんが焼いたパンプキンシードのパン。ずっと愛用しているマリメッコのティータオルでふんわり包んで。**右上**：食器棚に並ぶ「ソックス・ロールド・ダウン」のフルートグラス。**左下**：フルーツは「ソックス・ロールド・ダウン」のサーヴィング皿に、チーズとハムはイッタラの大皿で。**右中**：色あわせを自由に楽しんで。**右下**：古いイスの座面を「トゥーリ」の生地で張り替えて、カスタマイズ。

トゥーリ Tuuli 風

Visiting Anu's Glass Studio & Nounou Summer Café

マリメッコやイッタラとのコラボレーションのほか、一点物のアートガラスを発表しているアヌさん。マウスブローやガラスを張りあわせる手法で、作品づくりをしている工房を訪ねました。

おうちから歩いて3分ほどの距離にある、ノウノウ・デザインのガラス工房兼ショップスペース。夏のあいだは、この場所で友だちと一緒に「ノウノウ・サマーカフェ」をオープンしています。

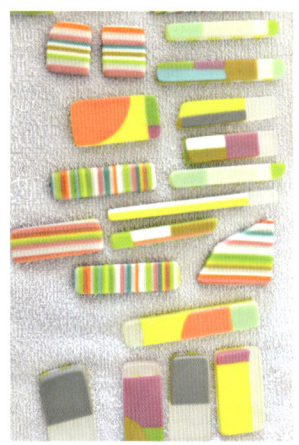

左：デスクの上に並んだ美しい花瓶は、ガラスを張りあわせるというアヌさん独自の手法で生まれた作品。半透明のやさしい発色が、ガラスをやわらかい印象に見せます。右：ガラスで作ったパーツを素材にしたジュエリーを試作中。

ペイントしたり、イスの座面を張り替えたり、自分たちで手入れして生まれ変わった古い家具が並ぶサマーカフェ。お料理上手のアヌさん手づくりのおいしいパンやケーキを楽しむことができます。

Home Visit

Sami Ruotsalainen

designer

サミ・ルオツァライネン

さまざまな個性を持った友だちが集まって
にぎやかに、楽しいパーティがはじまるように。
サミさんのデザインしたテーブルウェアも
単色のもの、「コッペロ」「メローニ」
ひとつひとつ違うパターンを揃えても、すぐに
仲よくなって、素敵なテーブルを作り出します。
あざやかな色に落ち着いた色、古いものと新しいもの
個性が異なるものをミックスして、大胆に。
それが、サミさんのコーディネートの秘密です。

コッペロ Koppelo 雌のオオライチョウ / メローニ Melooni メロン

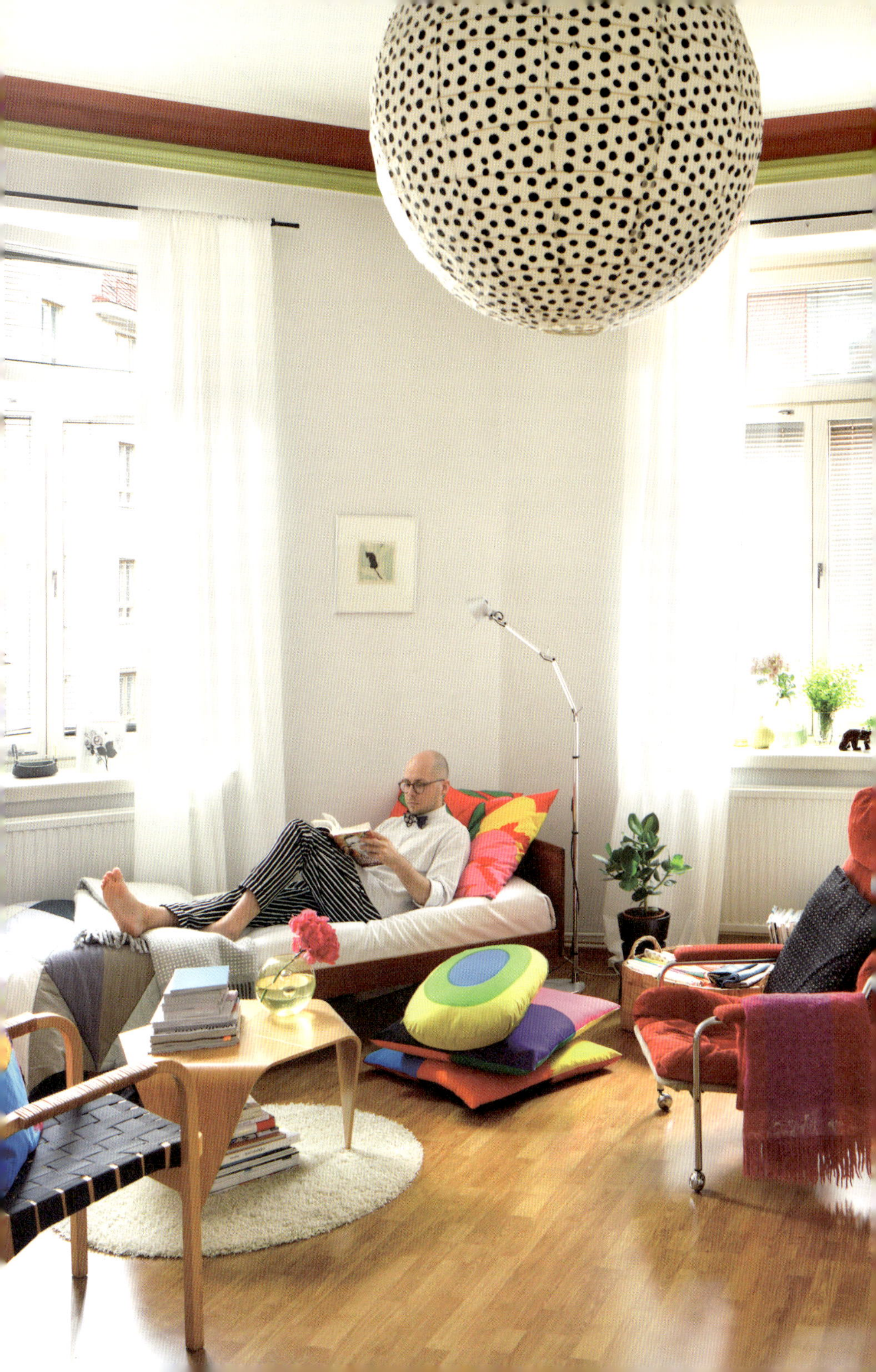

愛すべきコレクションが集まった、気持ちのいいアパルトマン

「オイヴァ」シリーズをはじめとするテーブルウェアやキッチングッズ、ステーショナリー・コレクションを手がけるデザイナーのサミさん。イメージビジュアルの撮影やファッションショーといったイベントの企画スタイリングも手がけています。サミさんが暮らすのは、ヘルシンキ南部のアパルトマン。陶器にガラス、アートや文房具など、サミさんのコレクションや、家族から譲り受けたアイテム、友だちからのプレゼント……お部屋にはさまざまなものがありますが、不思議とミニマルな雰囲気。気持ちのいい風が通り抜けるような、軽やかな美を感じる空間です。

上：デスクの上には、エリック・ブルーンがデザインした、フィンエアーの創業90周年記念ポスターを飾って。
左下：マリメッコのヴィンテージ・ファブリックとスカーフのコレクション。右下：マイヤ・イソラさんデザインの「メローニ」のだ円型クッションと、石本藤雄さんデザインの「オストヤッキ」のファブリックで作ったクッション。

メローニ Melooni メロン / オストヤッキ Ostjakki オスチャーク族

左上：ヴィンテージのガラス器にスプレーバラとブルーベリーをいけて。右上：サミさんのデザインの先生アンナレーナ・ハカティエによるイッタラの花器。左中：マリメッコのナピタ・シャツに、「プケッティ」柄の生地で作ったタイをコーディネート。左下：オイヴァ・トイッカのふくろうと、ナタリー・ラハデンマキの小さな陶器。右下：お気に入りのカウチのそばに飾ったベアタ・ヨウツセンの作品は両親からの贈り物。

プケッティ Puketti ブーケ

上：白いローチェストには、マリメッコの「ヴァロイサ・ランプ」、石本藤雄さんの陶製の花などを飾って。深紅が印象的な絵画は、サミさんの学生時代の作品。左下：ヴォッコ・エスコリン＝ヌルメスニエミさんデザインの「ピッコロ」柄のシャツはサミさんデザインのプロトタイプ。右中：受け継がれてきた古いテディベアは、修復してもらってかわいらしい表情に。右下：カイ・フランクとタピオ・ヴィルカラによるガラス器。

アートにまつわる本、小説や伝記などがぎっしりと並ぶ本棚の上には、
カイ・フランクとオイヴァ・トイッカのガラス作品をディスプレイ。

石本藤雄さんデザインの「ホフト」のファブリックをテーブルクロスに。アパルトマン近くのお気に入りのカフェのシナモンロールでおやつタイム。

ホフト Hohto ひらめき

左上:「オイヴァ」にカイ・フランクのヴィンテージ・グラスをコーディネート。左中:夏の森で摘んで冷凍しておいたベリーに、ヨーグルトとはちみつをかけ、エディブル・フラワーをちらした素敵なデザート。右上:ヴィンテージショップで見つけた食器棚の引き出しには、色とりどりのランチョンマット。左下:「オイヴァ」のサーヴィング・ポットとピッチャー。右下:アラビアとロールストランドの陶器の動物フィギュア。

Home Visit

Nina Pirhonen

designer
ニナ・ピルホネン

ファッションデザイナーのニナさんの思い出の一着は
お母さんが買ってくれた「イロイネン・タッキ」。
カラフルなポケットが、たくさんついたワンピースです。
あちこちのポケットの中に、絵の具や筆などを入れて
アートスクールへ通っていました。そのほかにも
水玉のナイトドレスに、ボーダーのTシャツ
マリメッコと過ごした思い出はいっぱい……そして今度は
ニナさんがデザインした、愛らしいスタイルの洋服が
たくさんの女の子に、素敵な時間を作ってくれるでしょう。

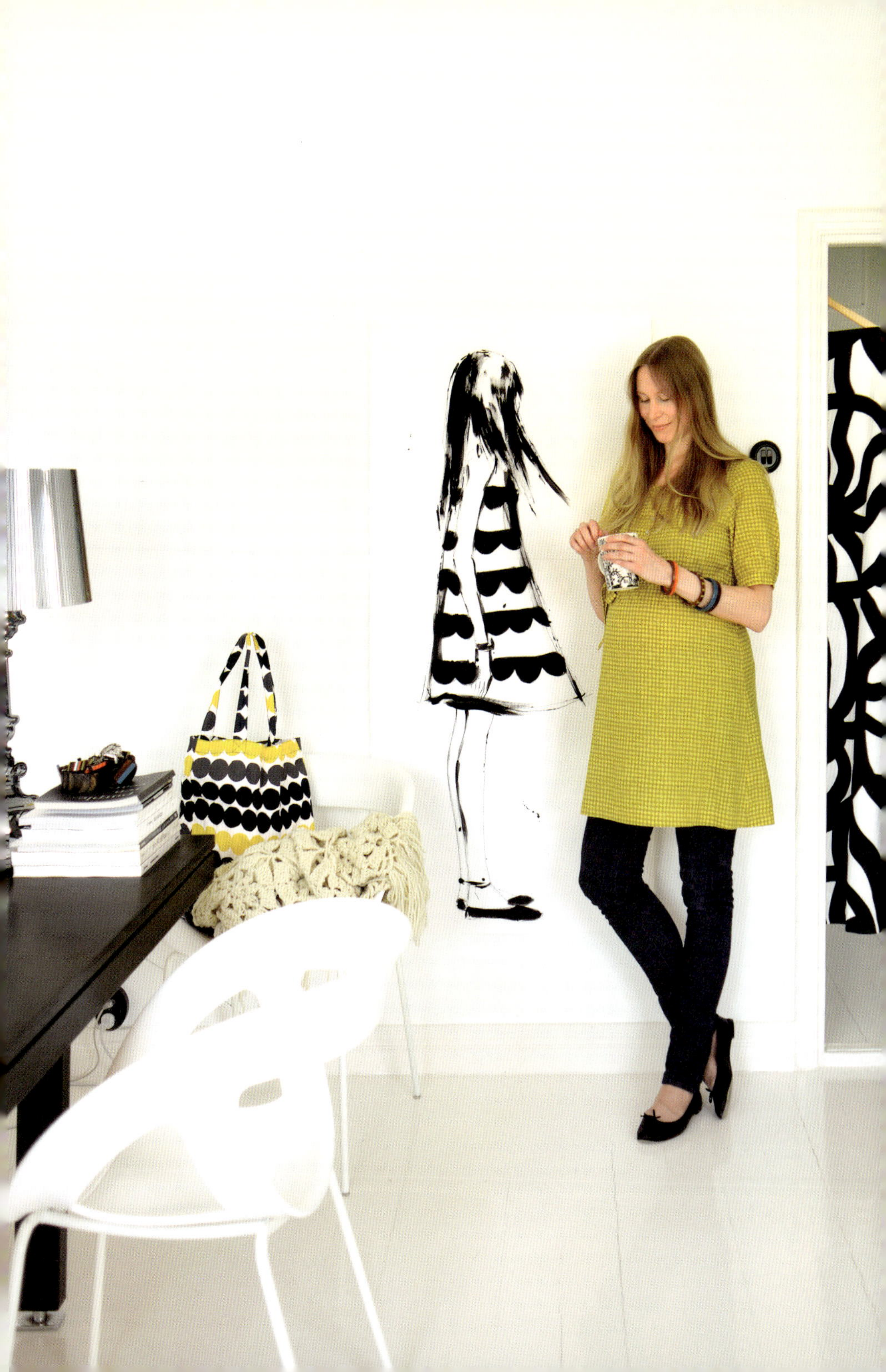

シンプルな空間で花咲く、ラブリーなドレスたち

あと1週間で赤ちゃんがうまれるという大きなお腹で、私たちを迎えてくれたニナさん。イノセントなガーリー・スタイルが好きで、ジャージー素材を使って、毎日着たくなるようなドレスやチュニックをマリメッコでデザインしています。ニナさんの住まいは、ヘルシンキ市街地からすこし北、20世紀はじめに建てられた、れんが造りのアパルトマン。美しい光が入ってくるベッドルームに、大きな黒いデスクを置いてお仕事をしています。内装のディテールや光が気に入っているので、インテリアはシンプルに。白と黒をベースにした室内に、ニナさんが手がけたマリメッコの洋服が色を添えます。

脇阪克二さんによる「カルセッリ」のファブリックを使ったドレスは2013年夏のコレクション。パターンが持つ雰囲気をいかして、からだのまわりを流れるようなサマードレスをデザインしました。くものモビールは、友だちのリーナ・フレドリクソンさんが赤ちゃんのために作ってくれたもの。

カルセッリ Karuselli 回転木馬

左上：マリメッコのショッピングバッグは、収納に活躍。右上：アンニカ・リマラさんデザインの「エマ」柄ワンピースはパフスリーブがキュート。左中：女の子を描いたドローイングは、ニナさんの作品。大好きな奈良美智さんの作品集と飾って。左下：ニナさんによる絵本シリーズ「ボンボン」の原画。右下：ジャージー素材のワンピースは、きれいなシルエットになるようカッティングを大切に。

エマ Emma エマ（女性の名前）

TOVE JANSSON
Pompom
ja kotipuuhat
YTIÄ?
YOSHITOMO NARA
lonesome puppy

赤ちゃんを迎えるのを楽しみに、すこしずつ家具や雑貨を準備しているところ。壁面のガーランドはニナさんの手づくり。

左上：マリメッコのファッションショーのノベルティだった「森のシロップ」。右上：置いているだけでも美しい「ラシィマット」柄のティーポット。左下：屋根裏でほったらかしにされていたテーブルを引き取ってキッチンに。木の風合いがモダンな空間にぬくもりを添えます。右中：形と色にひとめぼれしたガラスボウルは、フリーマーケットでの掘り出し物。右下：お気に入りの柄「ムイヤ」のオーブンミトンとポットホルダー。

「ラシィマット」柄のボウルと「シイルトラプータルハ」柄のプレートはマイヤ・ロウエカリさんのパターン・デザイン。シンプルでどんなお料理にもあって、食卓を楽しくしてくれます。

ラシィマット Räsymatto 使いこまれたラグ / シイルトラプータルハ Siirtolapuutarha 市民農園

Home Visit

The Isola Family

designers
イソラ・ファミリー

ひなげしの花をモチーフにした「ウニッコ」柄をはじめ
いまも愛される多くのデザインをマリメッコに残した
マイヤ・イソラさん。彼女のファミリーを訪ねて
森に囲まれた美しい街リーヒマキにある、ご自宅へ。
アトリエのデスク前にある、幻想的なドローイングをはじめ
たくさんの絵画が飾られていて、家全体がミュージアムのよう。
ほら、「ウニッコ」柄の雑貨も、あちこちに。
家族の物語やデザインへの愛を受け継ぎながら
新しいカラーバリエーションの作品がここから生まれます。

心を一つに

マリメッコとともに、ファミリーに受け継がれるデザイン

リーヒマキは、ヘルシンキから北に69km離れた静かな街。1787年から10代以上にわたって暮らしてきたイソラ家ゆかりの地にうかがいました。マリメッコ創立者のアルミ・ラティアさんに認められ、テキスタイルデザイナーとしての才能を開花させたマイヤさん。1987年にデザイナーを引退するまで、いきいきとした魅力あふれる多くのデザインを発表してきました。住まいの2階にあるアトリエは、窓からたっぷりと太陽の光が差しこむ気持ちのいい空間。ここでいまは孫のエマさんが、マイヤさんのオリジナルデザインを新しい色調で発表する監修を手がけています。

左:ボールに吊るしたファブリック「セイレーニ」は、2012年に発表された新色。もともとマイヤさんが1964年に発表したデザインで、孫のエマさんが選んだ色でプリントされました。右上:生地を新しくプリントするときのためのカラーサンプル・シート。右下:「ウニッコ」柄の食器は、デザイナーのサミ・ルオツァライネンさんと一緒に。

40　　　　　　　　　　　セイレーニ Seireeni セイレーン（ギリシャ神話）/ ウニッコ Unikko ケシの花

左上:エマさんの娘インミちゃんが作ったこうもり。左中:マイヤさんがハンドプリントした布をカーテンに。右上:1977年ノースカロライナをマイヤさんが訪れたときに描いた、りんごの枝。左下:色えんぴつを立てたマグカップやコップを入れるのに、果物の木箱はちょうどいいサイズ。このままデスクに持ち運びができます。右下:デザインを手がけたファブリックがたくさん入った資料ボックスは、宝箱のよう。

マイヤさんが発表した500柄以上の
デザインの資料化をいま進めている
ところ。ひとつのボックスを選んで、
ファブリックを1枚1枚取り出しなが
らお話を聞かせてくれました。

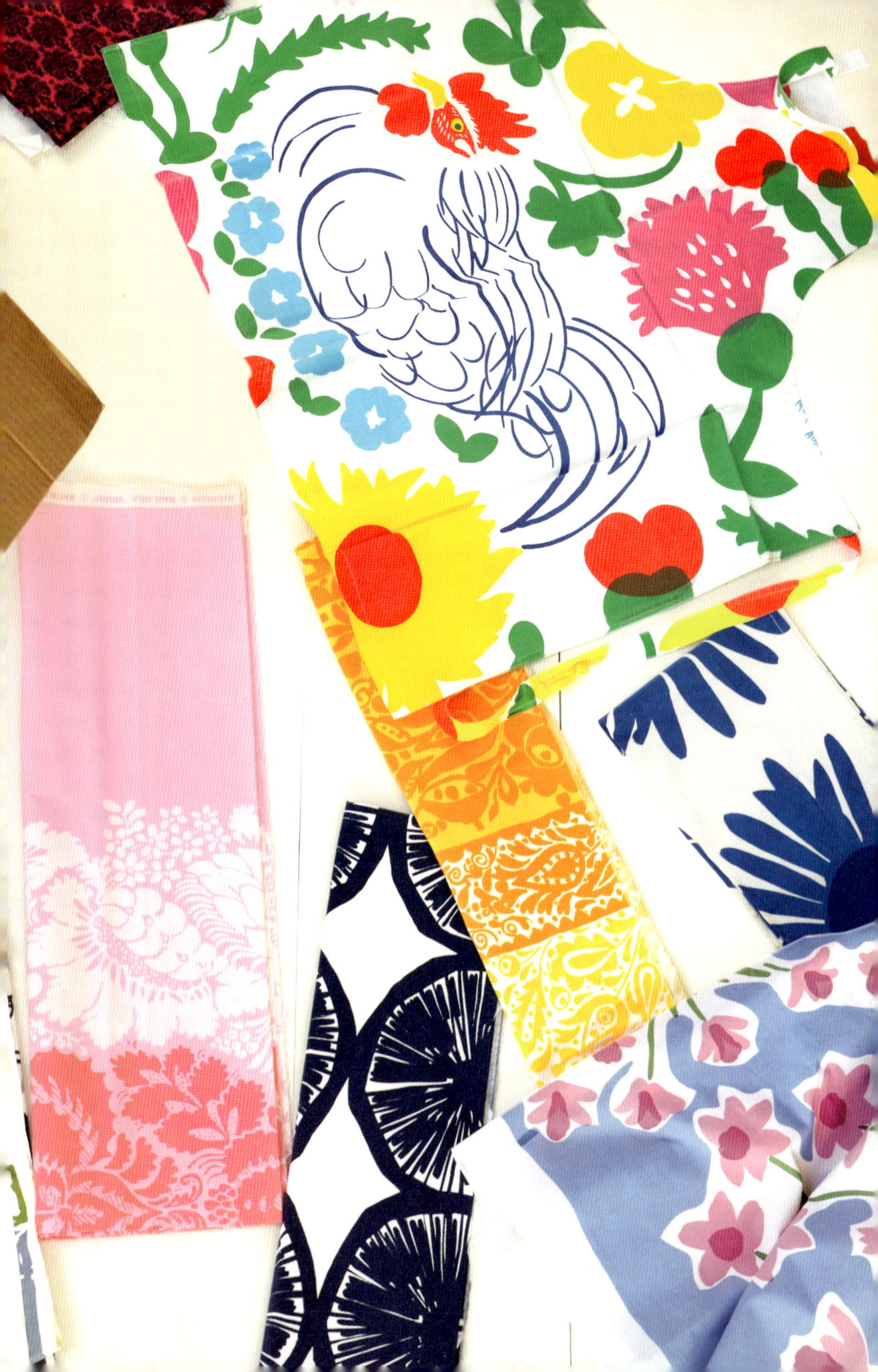

ヴィジュアル・アーティストでもあったマイヤさん。1階のリビングルームではアルジェリアの女性を描いた絵画と、はじめてデザインしたテキスタイル「アムフォラ」、彼女のふたつの才能が見られました。

アムフォラ Amfora 両手つきのつぼ

左上：ワイヤーモビールは、エマさんの手づくり。左中：マリボウルに入れたアマレッティは、エマさんのお気に入り。右上：エプロンは左から「ムイヤ」「トリ」「タンツ」すべてマイヤさんのパターン。左下：「ヴァープッカ」柄のポットホルダーとイギリス製のねこのプレート。右下：「ムイヤ」と「トゥリプナイネン」のハート型オーナメントは2011年のクリスマス・コレクション。

ムイヤ Muija 老女 / トリ Tori マーケット / タンツ Tantsu ダンス / ヴァープッカ Vaapukka 木いちご
トゥリプナイネン Tulipunainen 炎のような赤

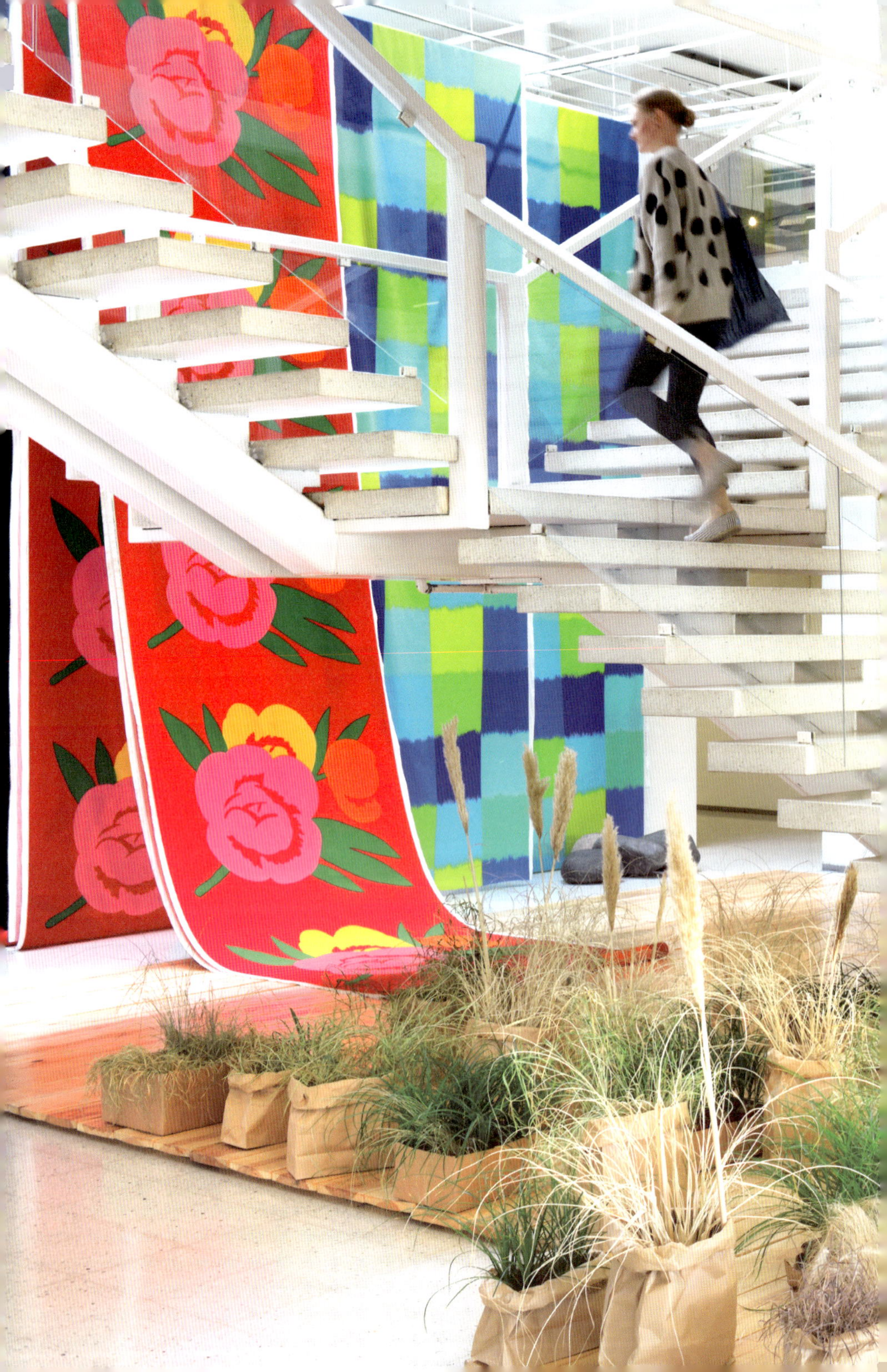

マリメッコのおうちへようこそ！

Welcome to the Home of Marimekko!

さまざまな才能あふれるデザイナーとコラボレーションしながら、魅力的なインテリア雑貨やファッション・アイテムを発表しているマリメッコ。私たちを夢中にさせるアイテムはどんなふうに作られているのか、本社を訪ねてみました。市街地から地下鉄で15分ほどの距離にあるヘルットニエミには、デザイナーほかスタッフたちが集まるオフィスと、ファブリックを印刷する工場、そしてショップがあります。背景に何枚ものファブリックがダイナミックに飾られている、この階段がオフィスへの入り口。さぁ、「マリメッコのおうち」におじゃましてみましょう。

オフィスで見つけた素敵なディスプレイ
Finding Decor Ideas in the Company

オフィス・フロアには、そのシーズンのコレクションのアイテムをテーマごとに紹介するコーナーがあちこちに作られています。このディスプレイは、ショップなどのデコレーションを担当する専属のスタイリストさんたちの手によるもの。ファブリックはもちろん、洋服に食器やおもちゃなど、さまざまな雑貨を発表しているライフスタイル・ブランドならではの幅広いシーンにあわせたディスプレイが楽しめます。インテリアに取り入れたくなるアイテムやアイデアと出会えました。

|The Bureau with Marimekko|

優雅なネコの姿をエルヤ・ヒルヴィさんがデザインした「シニヴェリネン」を天井から吊るして間仕切りに。デスクにも動物柄のポスターを飾れば、楽しい空間のできあがり。

シニヴェリネン Siniverinen 貴族

Marimekko for Kids

子ども部屋をイメージしてディスプレイされた、キッズ・コレクション・コーナー。マリメッコのおもちゃは遊ぶだけでなく、オブジェとしてお部屋に置いておきたくなるものばかり。

|Weather Diary Collection|

アイノ＝マイヤ・メッツォラさんによる「ウェザー・ダイアリー」コレクション。スオメンリンナ島に暮らす彼女が感じた天気や光、海の様子を、水彩画のタッチをいかして表現しています。

|The Cosy Couch|

テイヤ・ブラネンさんがデザインした「オオディ」は、神や偉大な人物を誉めたたえる歌という名前にふさわしい、シックで華麗なパターン。「ヴォヘンプトゥキ」柄のクッションとコーディネート。

オオディ Oodi 頌歌 / ヴォヘンプトゥキ Vuohenputki ビショップボウフウ（植物）

| Patterns and Photos |

まぶしい光あふれる、ピュアホワイトのエントランスホール。
カップケーキ柄のファブリックパネルと、大小の黒いフレーム
に入れたニューヨークでの写真をリズミカルにディスプレイ。

サミさんのアトリエに、こんにちは
Visiting Sami's Studio
Sami Ruotsalainen, designer　サミ・ルオツァライネン

数人のデザイナーさんとアトリエをシェアしている、サミさんのデスクのまわりには、これまで手がけてきたデザインが、たどってきた足跡を感じさせるアイテムがいろいろ。会社のデスクにも、コレクションしているノートがたくさん積まれていました。サミさんの文房具好きは、マリメッコ内でも有名なのだそう！ノートのページをめくってもらうと、ディテールを大切にしているサミさんらしく、ちょっとずつフォルムを変えたテーブルウェアのアイデアスケッチが、小さなサイズでぎっしりと描きこまれていました。

ダイナミックにロゴマークが入ったファブリックで作ったカバーオールは、2012年秋に上海で行われたマリメッコの展示会のためにデザインしたもの。

フィンエアーの機内で使用されている「マリメッコ・フォー・フィンエアー」コレクションは、サミさんのデザイン。食器に使用したパターンは、マイヤ・イソラさんが50年代から60年代にかけて発表したクラシックなデザイン。

いきいきとしたグリーンがアクセントになった「ソッパ」シリーズのキッチンアイテム。オーガニックコットンを素材に、お料理好きのサミさんらしい使いやすさを大事にしたデザインです。

左：2009年に登場した「オイヴァ」コレクション。印象に残るクリーンな美しさで、いまではマリメッコの定番アイテムに。ティーポットとカップは、サミさん自身も特にお気に入り。右：上海みやげのスツールの上、「オイヴァ」のボウルをプランターカバーに。

デスク脇の窓から見える景色がお気に入りで、特に松の木をよく眺めているそう。壁面には、次のコレクションのインスピレーションを生む、カラーサンプルをピンナップ。

カラーサンプルのイメージの中には、サミさんが自分で撮影した写真も。
ここから新しいデザインが生まれると思うと、ワクワクしてきます。

大田舞さんのアトリエに、こんにちは
Visiting Mai's Studio
Mai Ohta, designer　マイ・オオタ

マリメッコでファッションデザイナーとして活躍する大田舞さんのお仕事の様子をうかがいに、縫製スタジオとアトリエを訪ねました。山口県立大学時代からのあたたかいご縁に導かれるように、マリメッコでのお仕事がスタートしたという舞さんは、2011年秋冬コレクションからデザイナーに。プリントをいかしたシンプルで飽きのこないデザイン、そして何より全体のバランスに気を配っている舞さん。同じような型に見えるワンピースでもバラエティーに富んだパターンにあわせて、より素敵に見えるフォルムを求めて創作しています。

いままでにないスタイルの洋服を作るときは、自分でサンプルを作ってみることも。裁断しているファブリック「ライタパッロ」は、舞さんが 2012年秋冬コレクションのためにデザイン。

左：2013年秋冬に発表した靴下コレクションのスケッチ。思いつくかぎりたくさんのイメージを描いてから、「これ！」というものを提案。右：2013年秋冬コレクションに使用した生地サンプル。上がマッティ・ピクヤムさんがパターンを手がけた「アストゥルド」、下はエリ・シマツカさんによる「クッカサデ」。

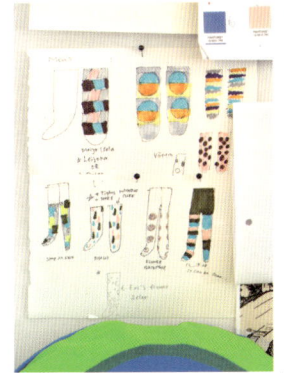

ライタパッロ Raitapallo ストライプ・ドット / アストゥルド Astrud アストゥルド（女の子の名前）/ クッカサデ Kukkasade 花の雨

お部屋をシェアしている4人で、デコレーションを楽しんでいる壁面。三角フラッグのガーランドは、プレゼンテーションで使用したプリント用紙をリサイクルして作られています。

リラックスしているときにアイデアがわいてくるという舞さんは、スケッチノートを手に、つい夜更かししてしまうことも。インクが滑らかに出るペンと、少し黄色がかった紙のノートがお気に入り。

マイヤ・ロウエカリさんデザインの「ピサロイ」柄を使ったワンピース。ジャージーの素材感をいかして、きれいなドレープが出るように、ぜいたくに生地を使いました。

ピサロイ Pisaroi しずく

Marimekko Designers - Life and Creations　ジュウク・ドゥ・ボウム

この度は『マリメッコのデザイナー／暮らし』をお買い上げいただき、誠にありがとうございます。今後の編集の参考にさせていただきますので、右記の質問にお答えくださいますようお願いいたします。

なお、ご記入いただいた項目のうち、個人情報に該当するものは新刊のご案内や当該商品の原稿の発送以外の目的には使用いたしません。

メールアドレスをご記入いただいた方には、ジュウク・ドゥ・ボウムよりお新刊書籍のご案内などを時々お送りいたしたいと思っております。必要でない方は、こちらの欄にチェックをお願いします。

□ 情報は不要です

ジュウク・ドゥ・ボウム

1. 本書を何でお知りになりましたか？
   □ 雑誌（　　　　　　　　　）　□ ホームページ（　　　　　　　　　）　□ 店頭
   □ その他（　　　　　　　　　）

2. 本書をお買い上げいただいた店名をお教えください。

   市町村名　　　　　　　　　店名

3. 本書をお買い上げいただいたきっかけを下記の項目からひとつだけお選びください。
   □ マリメッコに興味　□ フィンランドに興味　□ インテリアに興味　□ 海外の暮らしに興味
   □ 写真・デザインにひかれて　□ その他（　　　　　　　　　）

4. 本書に関するご意見、ご感想をお聞かせください。

5. 現在、あなたが興味のある物事や人物などについて教えてください。

http://www.paumes.com

Carte Postale

大変恐縮ですが50円切手をお貼りください

(あて先)
〒150-0001
東京都渋谷区神宮前3-5-6
ジュウ・ドゥ・ポゥム 行
édition PAUMES
Japan

フリガナ

お名前

ご住所
〒

メールアドレス
@

ご職業

年齢　　　　歳　　　性別　　☐ woman　☐ man

アンケートにご協力いただいた方の中から抽選で毎月3名様に、ジュウ・ドゥ・ポゥムのオリジナルポストカードセット(5枚組/セットの内容はお楽しみに)をプレゼント！当選者の発表は発送をもってかえさせていただきます。

お電話番号

水玉タイツにメタリックゴールドのパンプスをあわせたのは、2012年春夏コレクションで発表したワンピース。マイヤ・イソラさんデザインの「ローペルッティ」をアーカイヴで発見したとき、上品で可憐なパターンに心を奪われ、デザインしたお気に入りの1着。

ローペルッティ Roopertti ローペルッティ(男の子の名前)

アートワーク・スタジオにこんにちは
Visiting the Artwork Studio
Kaisa Sollo, artwork studio designer　カイサ・ソッロ

デザイン・スケッチから新しいプリントが生まれ、ファブリックや商品としてショップに並ぶまで、およそ1年かかります。カイサさんが働くアートワーク・スタジオは、デザイナーさんたちからオリジナルのデザイン案を受け取って、プリント・パターンの形へと置き換える部署。ファブリックや食器、ステーショナリーそれぞれのサイズに絵柄をあわせたり、リピートをさせたり、印刷する際の色を確定させたり。デザインを形にする大事なパートのひとつです。

左：カイサさんと、アートワーク・マネージャーをつとめるペトリさん。下：アイノ＝マイヤ・メッツォラさんによる「ウェザー・ダイアリー」コレクションの繊細な色あいは、アートワーク・スタジオのデザイナーさんたちにとっても新しい試みでした。

エルヤ・ヒルヴィさんがドライブの途中に見つけた美しい木の枝を貼り付けて持ちこんだアートワークが、もっとも思い出深い原画。このスタジオでスキャンしたものに、エルヤさんが雪の実を描きこみ、「ルミマルヤ」柄が生まれました。

ルミマルヤ Lumimarja 雪いちご

エルヤ・ヒルヴィさんがデザインした「シニヴェリネン」は、50年代の絵本を思い起こさせるような色使いに。エルヤさんはたくさんリサーチをして、植物も動物もとても自然な姿を描き出します。

これまでにマリメッコで作られた膨大な数のパターンのアーカイブは宝物のような存在。色の組み合わせなど参考になるものばかり。貴重な資料を、ちょっとだけ見せてくれました。

シニヴェリネン Siniverinen 貴族

ファブリックが生まれる工場を見学
The Fabric Printing Plant

ファブリックのプリント工場は、本社に隣接しています。デザイナーさんたちにお会いしたときにも、プリントの様子をすぐに見に行くことができるので、その過程を参考にしているというお話をよくお聞きしました。工場内に一歩入ると、インクの独特の香りとマシンが規則正しく動く音に包まれ、マリメッコの心臓部にやってきたドキドキ感が高まります。2台の大型プリンターで、年間に印刷されるファブリックの長さはなんと1200km！それぞれの機械を見ると、アヌ＝マリとヘリナという名前がついているというのもチャーミング。ファブリック印刷を大切にしている、みなさんの愛情を感じました。

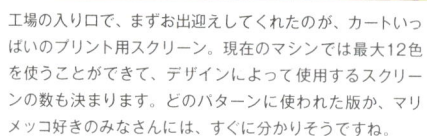

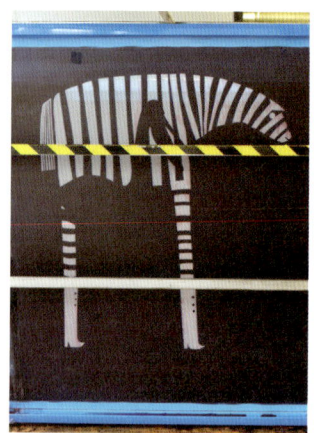

工場の入り口で、まずお出迎えしてくれたのが、カートいっぱいのプリント用スクリーン。現在のマシンでは最大12色を使うことができて、デザインによって使用するスクリーンの数も決まります。どのパターンに使われた版か、マリメッコ好きのみなさんには、すぐに分かりそうですね。

こちらはロール型になったプリント用スクリーン。側面の金属部分に、パターンの名前が書かれています。

ロール式プリンターのアヌ＝マリでは、マイヤ・イソラさんデザインの「ピエニ・ウニッコ」を印刷中。工場で働く職人さんたちもみんな、マリメッコの服を着ていたのがかわいらしかったです。

シルクスクリーン式プリンターのヘリナでは、アイノ＝マイヤ・メッツォラさんの「ムスティッカマア」を印刷中。版を通過するごとにモチーフが印刷されていく様子は、いつまで見ていても飽きません。
ピエニ・ウニッコ Pieni Unikko 小さなケシの花 / ムスティッカマア Mustikkamaa ブルーベリー畑

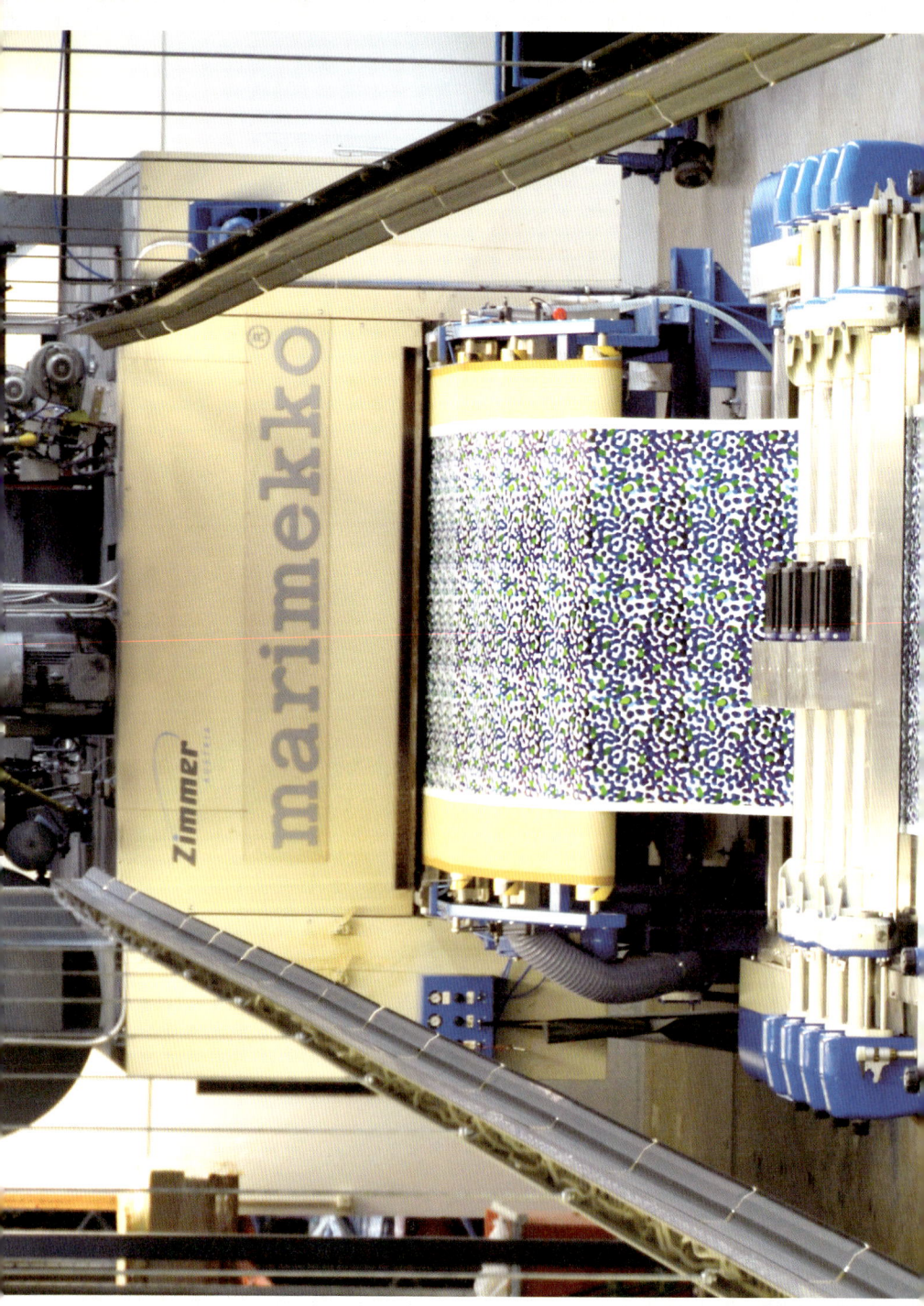

MARIMEKKO DESIGNERS - LIFE AND CREATIONS

100%PULP

カラー・キッチンと呼ばれる、インクを調合するコーナー。
デザイナーさんと一緒にテストを繰り返して生まれた色の
配合は繊細なので、機械で一定に管理しています。

印刷を終えた布地は、まずスチームにかけて、インクを定着させます。
さらに95℃の高温のお湯で洗ったら仕上げです。

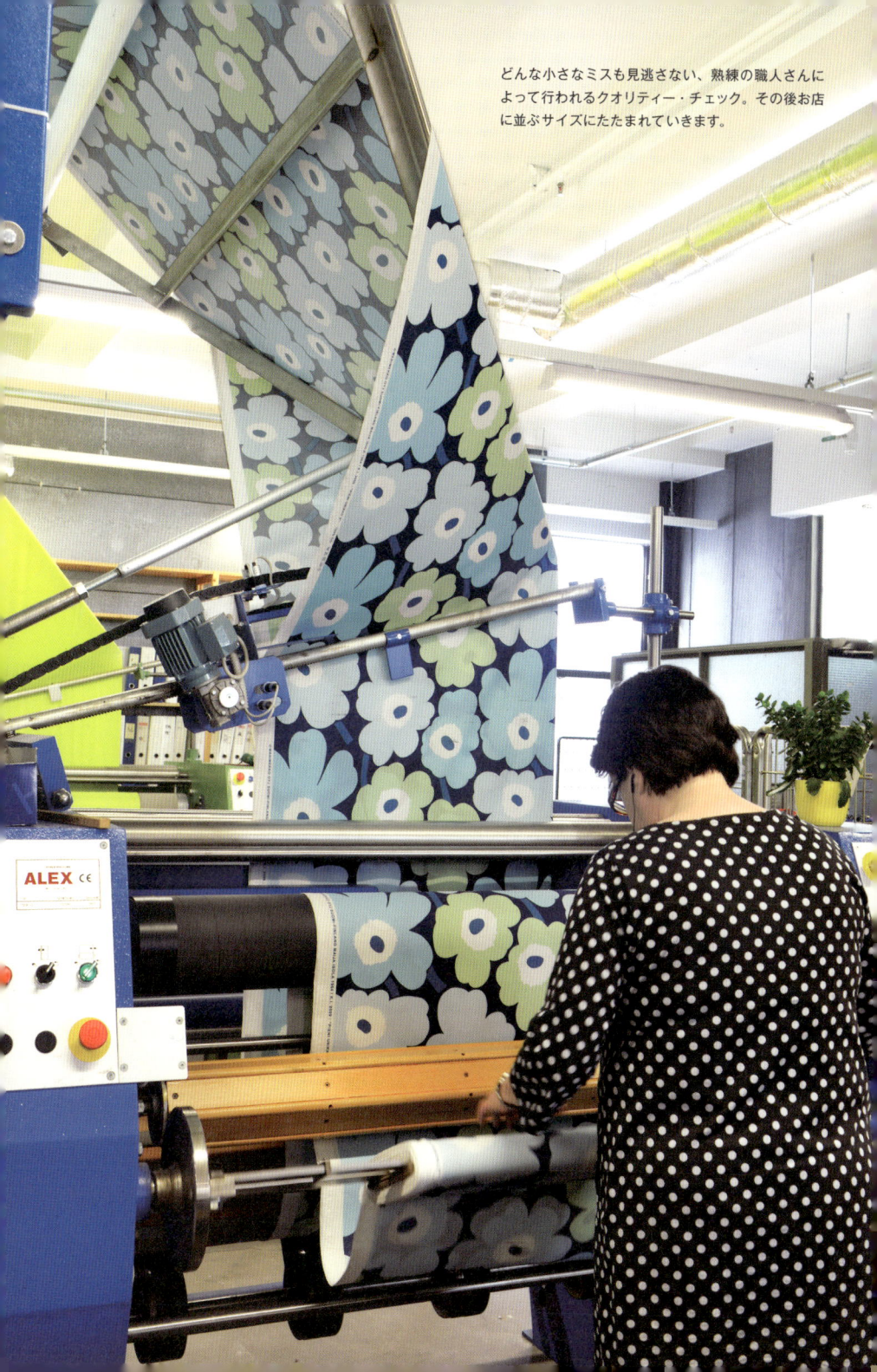

どんな小さなミスも見逃さない、熟練の職人さんによって行われるクオリティー・チェック。その後お店に並ぶサイズにたたまれていきます。

Studio Visit

Aino-Maija Metsola

designer
アイノ＝マイヤ・メッツォラ

絵本の1ページのような、ポエティックなドローイング。
のびのびとしたラインと、繊細な色使いの中に
アイノ＝マイヤさんの物語が、自由に広がります。
2013年春コレクションで、大田舞さんがデザインした
この洋服のパターンの名前「ムイック」とは
フィンランドの湖に暮らす、小さな魚シロマスのこと。
そのうろこが、モチーフになりました。
身の回りのさまざまなことがインスピレーション
というアイノ＝マイヤさんらしいチャーミングな作品です。

ムイック Muikku シロマス（魚）

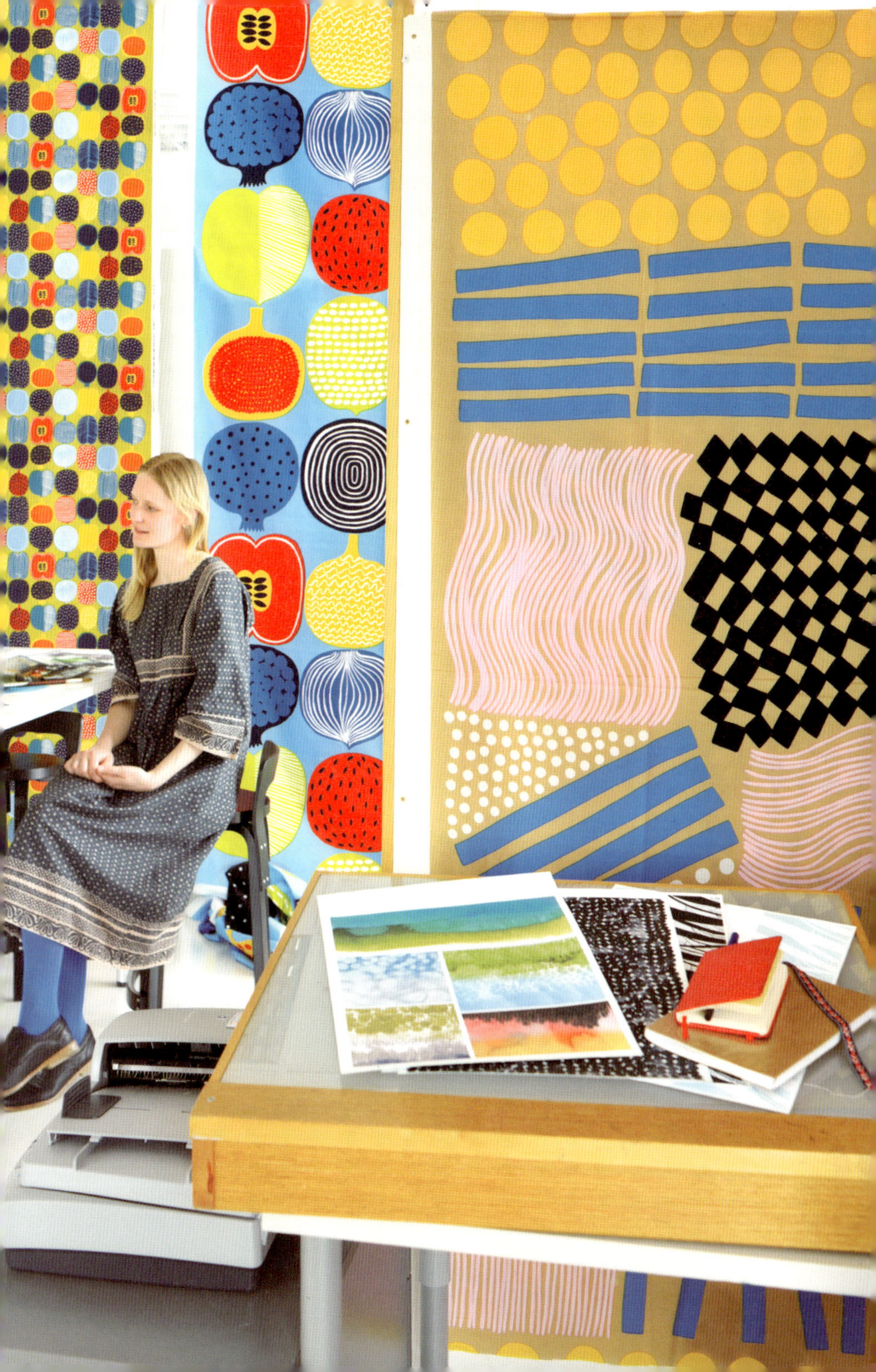

チームとのコラボレーションから生まれる美しい世界

2005年に行われたデザイン・コンペティションでの受賞を経て、マリメッコのパターン・デザイナーになったアイノ＝マイヤさん。いまではインテリアとファッション、双方のデザインを手がけています。彼女のデスクがあるのは、ファブリック印刷工場の2階にあるスタジオ・ルーム。工場の様子をすぐ近くに感じることのできる広々とした空間を、3人でシェアしています。さまざまな手法の中でも、水彩を使って描くのが好きというアイノ＝マイヤさん。マリメッコの高い技術力とチームワークで、にじみあう色たちがファブリック上で表現されていると教えてくれました。

左：水彩のほかにも切り紙やマーカーペンなど、さまざまな手法を取り入れているアイノ＝マイヤさん。「コンポッティ」の原画を見せてくれました。右上：お母さんが70年代に着ていたマリメッコのヴィンテージ・ワンピースで。右下：国立自然史博物館で描いた動物たちは、ステーショナリーのためのアイデアスケッチ。

コンポッティ Kompotti コンポート

左上：水彩パレットもまるで作品の一部のよう。左中：2012年夏トゥーラ・ポイホネンさんがデザインしたコレクションのためのプリント「ケサヘッレ」。原画に近い色が出て、とてもうれしかった1枚。右上：壁面に「コンポッティ」と「ヴァトゥルスカ」をかけて。左下：2012年WDCヘルシンキの記念に制作したマップは、アイノ＝マイヤさんのイラストで。右下：引き出しの中から出てきた、ユーモラスなスケッチたち。

ケサヘッレ Kesähelle 夏の暑さ ／ コンポッティ Kompotti コンポート
ヴァトゥルスカ Vatruska ヴァトゥルスカ・パイ（ロシアのクリームチーズの乗ったパン）

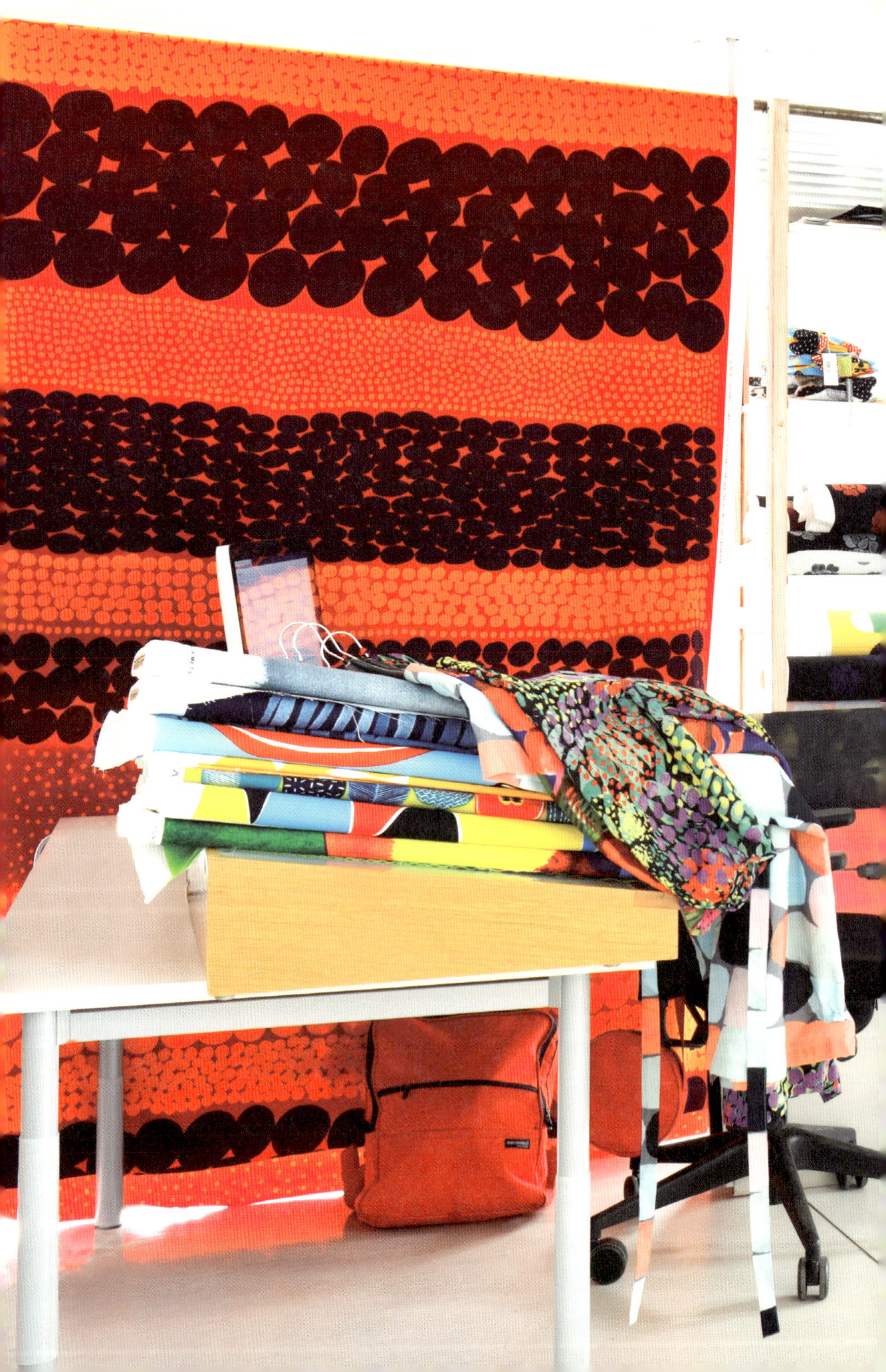

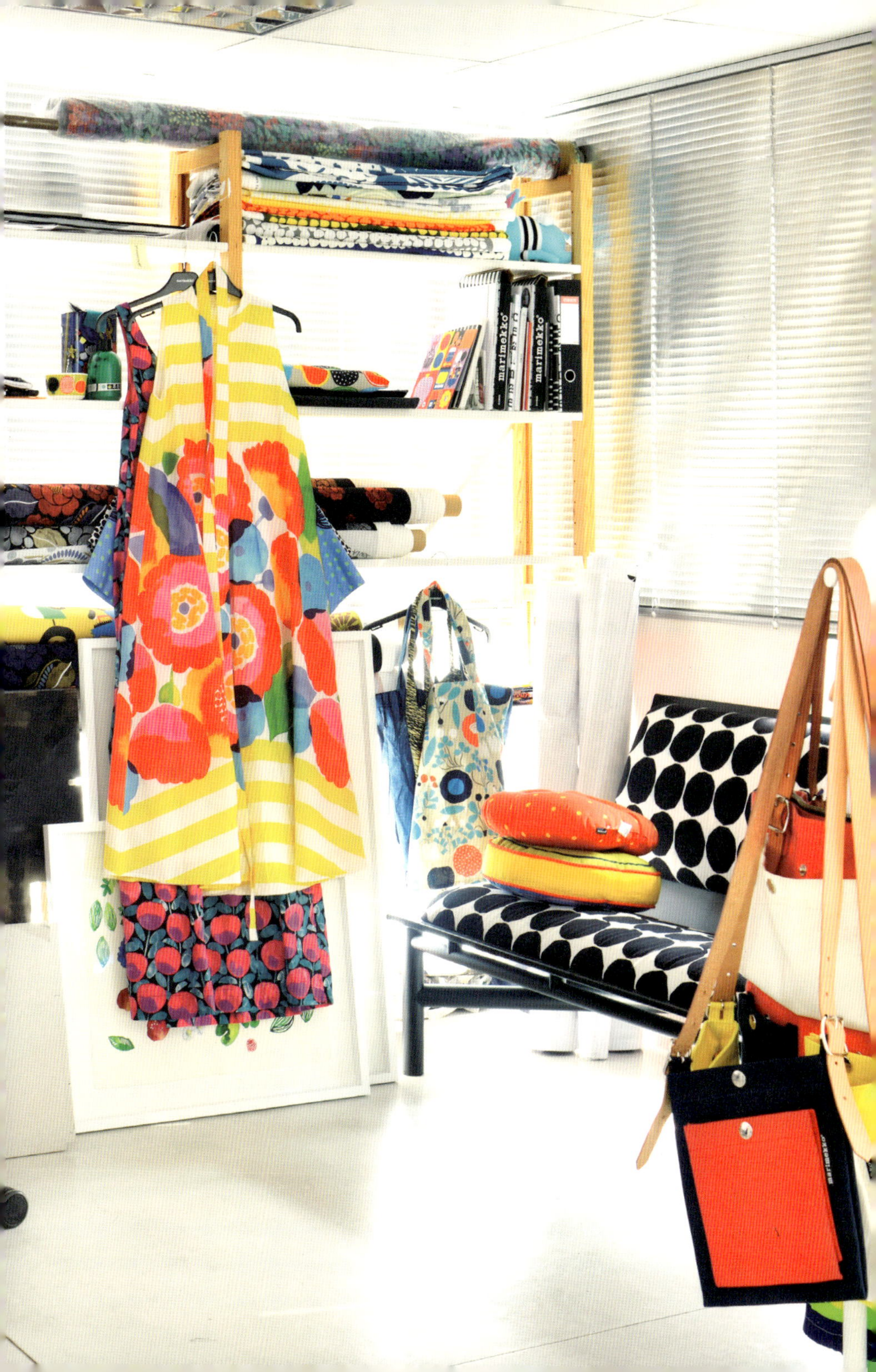
marimekko
marimekko
marimekko

左上：デスク前には、商品化されなかった色バージョンの「ラキア」のテスト・プリントをディスプレイ。
右上：炭酸飲料をイメージして描いた「パッレロ」柄のTシャツ。左中：上海での展示会のために額装した、「ケサヘッレ」と「ユハンヌスタイカ」の原画。左下：2011年夏にミカ・ピーライネンさんがデザインしたワンピースは、お気に入りの1着。右下：「ウェザー・ダイアリー」コレクションのための初期のスケッチ。

ラキア Lakia 広大 / パッレロ Pallero スモールボール / ケサヘッレ Kesähelle 夏の暑さ
ユハンヌスタイカ Juhannustaika 真夏の魔法

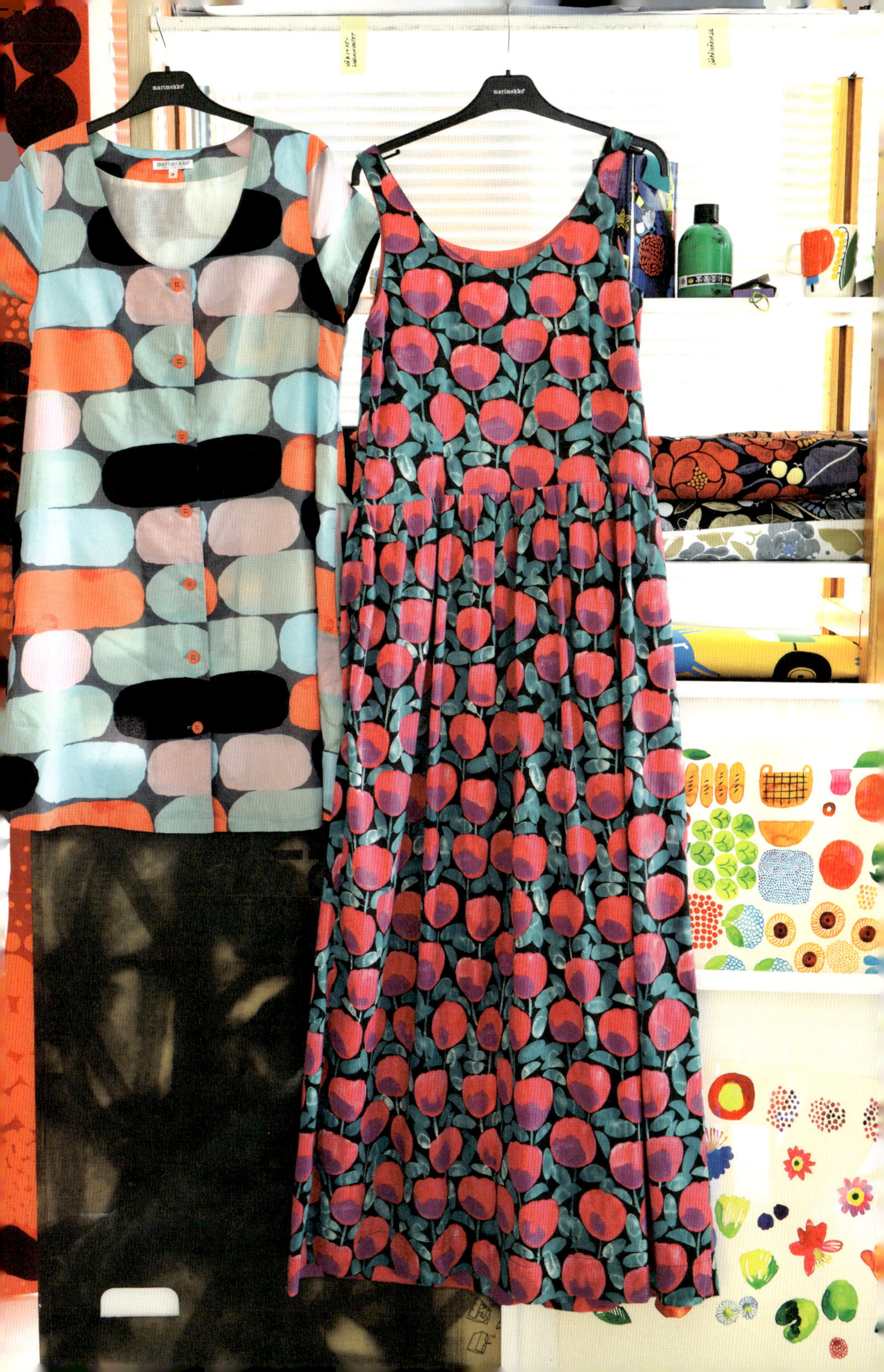
marimekko
marimekko

Studio Visit

Tuula Pöyhönen

designer
トゥーラ・ポイホネン

デスクの上に広がる、細長くカットした色紙は
次のデザインのために、サンプルを作っているところ。
「デザイナーというよりも、職人だと思うわ」
そう語るトゥーラさんは、自分の手を使って
まずはなんでも作ってみることを楽しんでいます。
好奇心をかきたてられる、ユニークなアイデアが
取り入れられた、トゥーラさんのデザインには
すっぽりとまわりを包みこむような
彼女のやさしさやユーモアが感じられます。

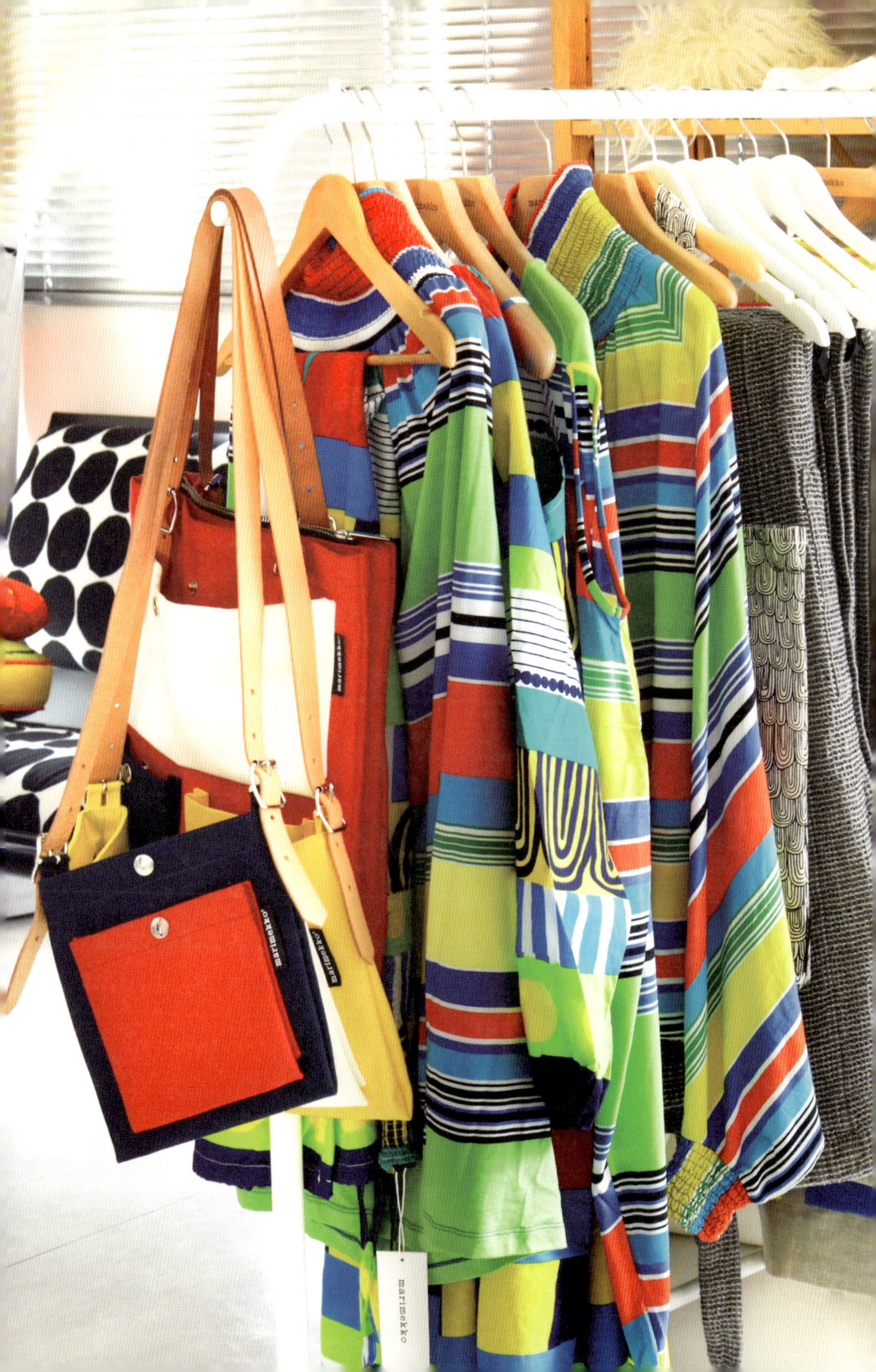

marimekko
marimekko
marimekko
marimekko

ユニークな視点とあたたかい手から生まれる、楽しいデザイン

ポケット使いが印象的な「ノルミ・バッグ」コレクションや、フィンランドの暮らしに欠かせないアイテムが揃ったサウナ・コレクションをはじめ、さまざまな洋服をデザインしているトゥーラさん。アイノ＝マイヤさんとティーム・ムーリマキさんと一緒に、工場の２階にあるスタジオをシェアしています。大きな窓に囲まれているので、きれいな光が入ってくるところがお気に入り。自分の直感に従ってデザインをしていくというトゥーラさん。ときにはミスもあるけれど、その失敗や残ったものから新しいアイデアが生まれることも。ユニークなアプローチが楽しいアイテムへとつながっています。

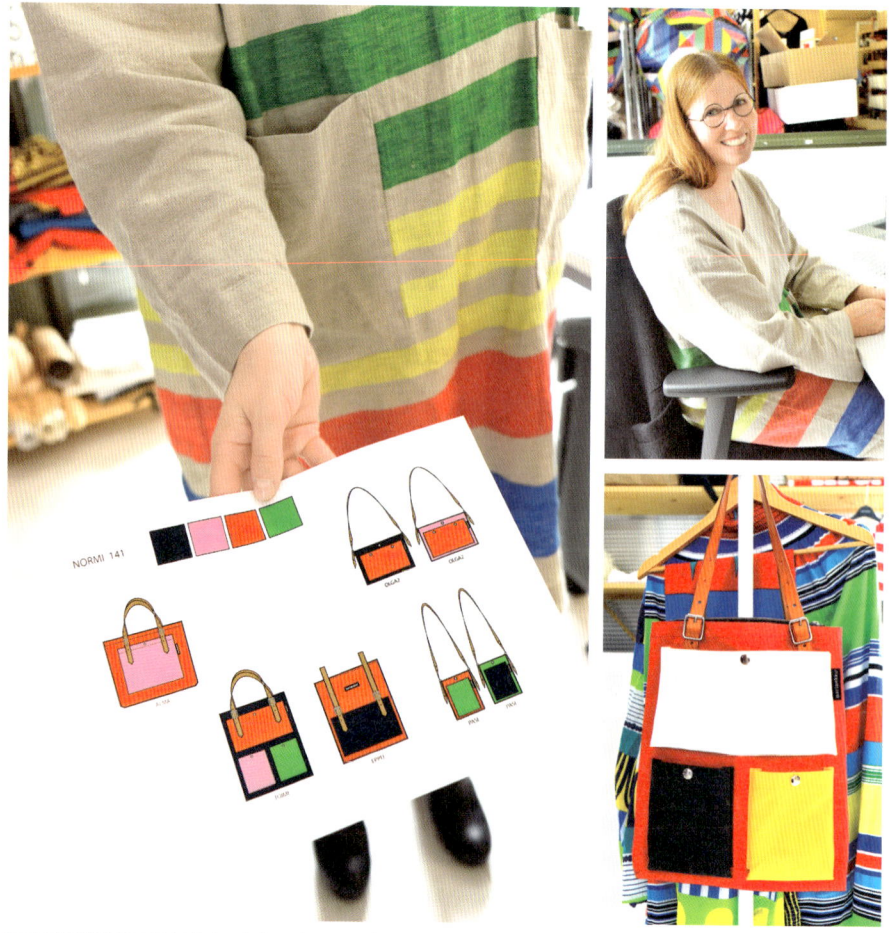

左：いまでは定番アイテムとなった「ノルミ・バッグ」コレクションのカラー提案画。右上：デイリーウェアとしても楽しめる、サウナ・コレクションのワンピースで。リネンタオルをそのまま身につけたような着心地が魅力です。右下：2013年夏に発表した、トイミ・バッグ。

上：ハンガーラックに並ぶのは、2013年夏に発表したアイテム。左下：2013年夏のキッズ・コレクション。マイヤ・ロウエカリさんがデザインした「イェンギ」柄のTシャツは男の子、「ケサイハストゥス」柄のレギンスは女の子向けにデザイン。右下：オンニという自分のブランドも持っているトゥーラさん。このレザーバッグは、大好きな靴メーカーと一緒に制作したもの。

イェンギ Jengi ギャング / ケサイハストゥス Kesäihastus 夏の恋

Saunavaate

Jäähy

Eeva

サウナが大好きなトゥーラさんにとってサウナ・コレクションのデザインは楽しい思い出いっぱいのお仕事のひとつ。ガウンなどの洋服から、タオルやポーチ、バッグなどもデザインしました。

上：サウナ・コレクションのためのイメージ・コラージュ。伝統的な織り方で作られたリネンがインスピレーションになりました。左中：フィランドで作られるバスケットの編み方を参考にサンプル作り。左下：最初のサンプルは自分で手がけるというトゥーラさん。自分で作ってみることで、デザイン画とは異なる発見があります。右下：リネンが持つ自然の色をベースに、マリメッコらしい明るい色を選んで。

79

Studio Visit

Noora Niinikoski

head of fashion design at Marimekko
ノーラ・ニイニコスキ

「ファッションやインテリア、どんなふうに
世界中の人々は、デコレーションを楽しんでいるの?」
ノーラさんの想像をかきたててくれるのが、フォークロア。
イエローと黒の色紙を切り貼りした、コラージュは
メキシコのピニャータがインスピレーション・ソース。
このペーパー・フリンジのアイデアがもとになって
いくつものデザインの構成が生まれていきました。
アイデアが商品の形となるまでに、繰り返されるデッサン。
クリエーションの足跡が、デスクの上に広がります。

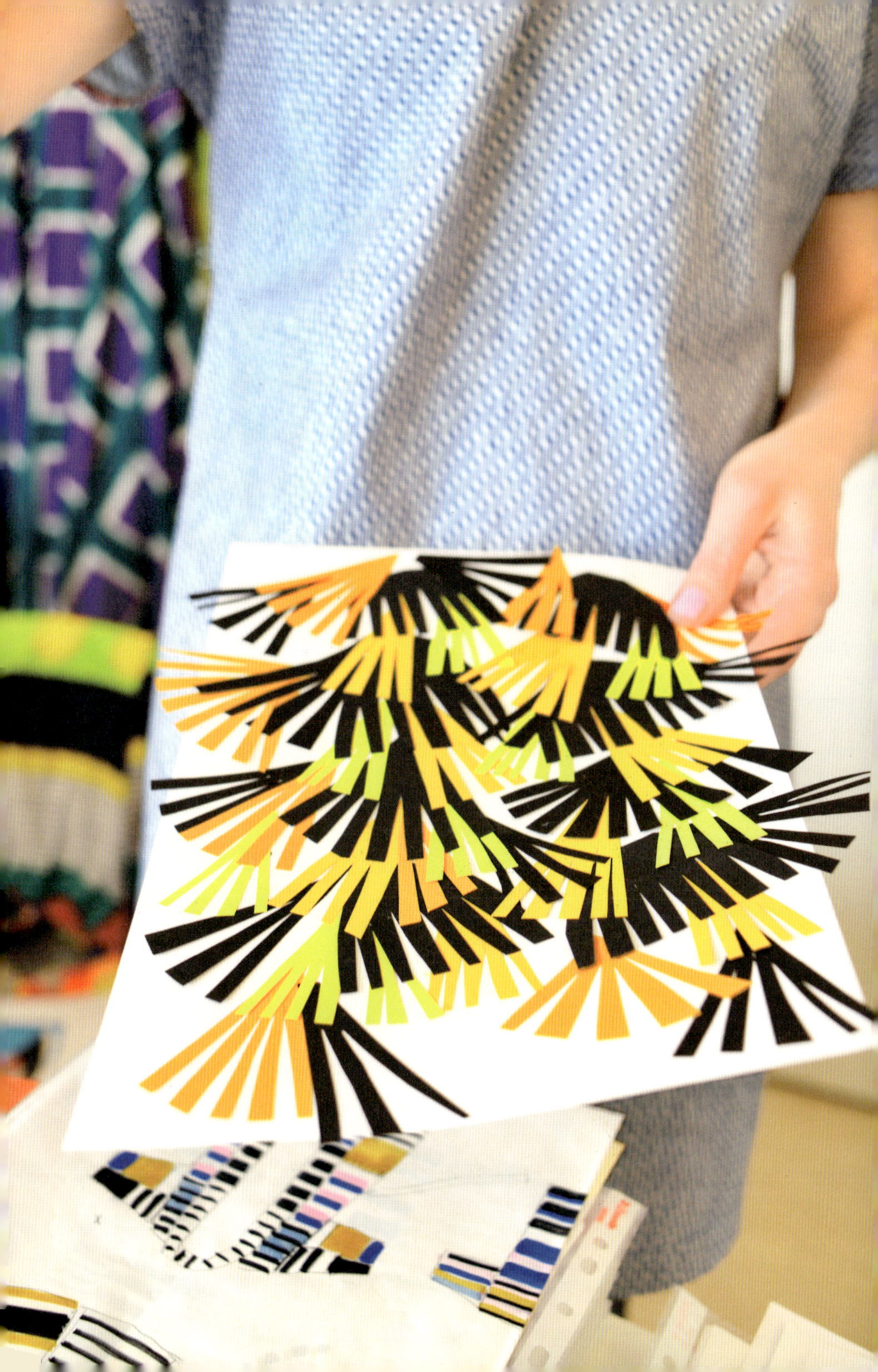

ハッピー・オーラあふれる色とデザインに輝く、大きな笑顔

明るい笑顔が魅力的なファッション部門のチーフデザイナーのノーラさん。ファッションの道に進んだきっかけとも言える、子どものころの楽しい思い出を語ってくれました。テキスタイルデザイナーだったお母さんがお仕事をする隣で、お母さんが出す課題を描いて「一緒にお仕事」していたこと。そして学校のお友だちのブルゾンも作ってあげるほどの腕を持った、おばあちゃんが教えてくれた編み物。こうして、さまざまな経験の後に、2008年からマリメッコとのお仕事をスタート。チーフとなったいまも自ら、目にも楽しいニットウェアやファブリック・パターンを数多く発表しています。

上：デスク後ろにかけられたロングドレスは、1971年にデザインされたヴィンテージ。その影からちらりとのぞくのは、フィンランドの歌手ラウリ・タフカの顔。お仕事仲間がしかけた楽しいいたずらに大笑い！ 左下：ノーラさんの誕生日にアシスタントさんや縫製スタジオのみんなから贈られたお祝いのカード。右下：生地サンプルはいつも身近に。

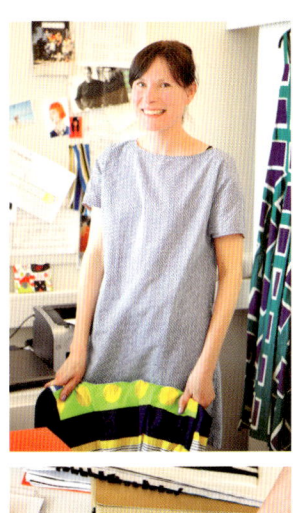

左上：アンニカ・リマラがデザインした「カメカ」柄のワンピースで。左中：フォークロアへの興味が、6歳のときのお絵描きからも感じられます。右上：プリントを手がけたイェンニ・ロペさんとのコラボから生まれたドレス。その横には、息子のマルッティくんによるニットウェアのデザイン画をピンナップ。左下：ピニャータとは、メキシコの子どもたちがお祝いのときに割るくす玉のこと。右下：切り紙の下にストライプ柄を敷くというアイデアから生まれたニットウェア。

カメカ Kameka 神殿の基盤

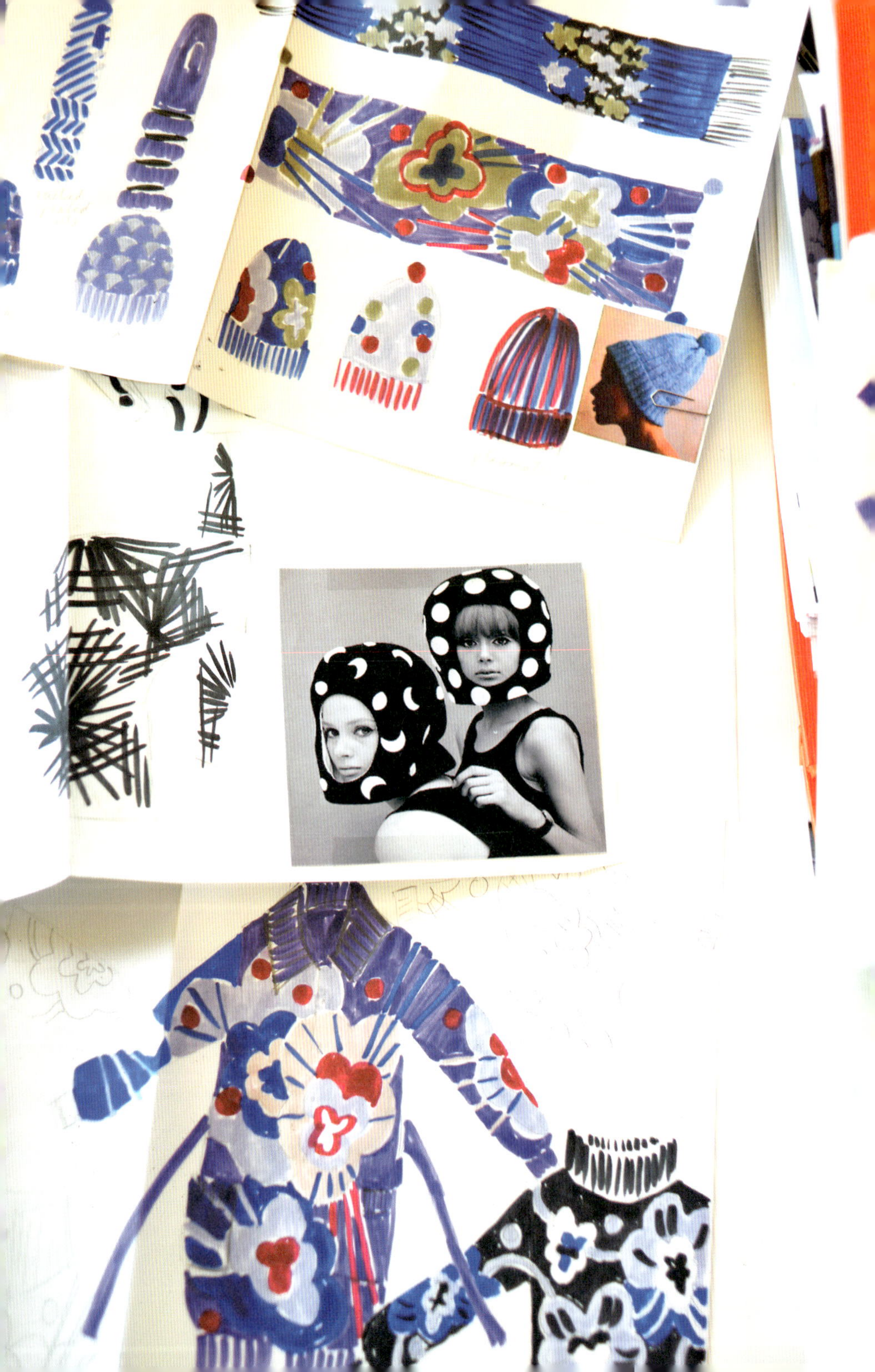

左上：2012年春コレクションのためのニットウェアのスケッチ。右上：大学時代からの友だちでデザイン・デュオ「リンネ＝ニイニコスキ」を組んでいたピア・リンネさんとの作品。同じ手法で手がけたイメージが2009年の広告に採用されました。左中：2014年春夏コレクションのための資料。左下：2011年夏に発表したデザイン。右下：クロスステッチをインスピレーションに描いた原画を拡大して印刷することで、独特のプリントに。

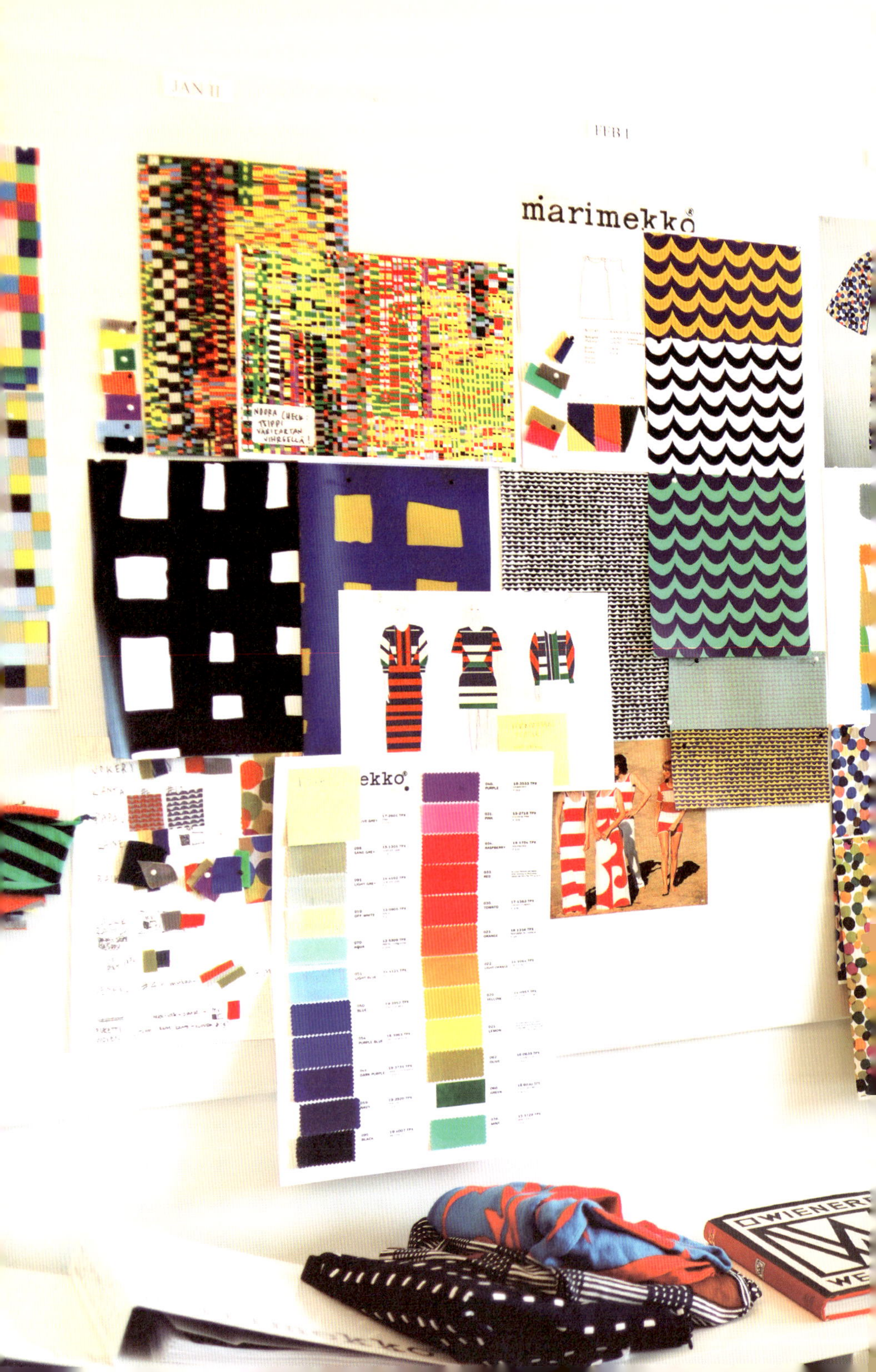

JAN 11
FEB 1
marimekko

デスクの向かい側にある壁面には、いま取りかかっているコレクション全体の雰囲気がつかめるように、使用するすべてのプリントの資料をピンナップしています。

Studio Visit

Minna Kemell-Kutvonen

creative director at Marimekko
ミンナ・ケメル＝クトゥヴォネン

　さまざまな色がちりばめられた、カラフルな部分
そして黒と白だけで構成された、色のない部分。
ミンナさんのアトリエには、この正反対の世界が
デスクを挟んで、左右にレイアウトされています。
　「どちらも、太陽の光を感じさせる色彩で
毎日の暮らしの中、とても身近にあるもの。
だからこそ、その両方の世界が表現されている
マリメッコでのお仕事が好き！」というミンナさん。
豊かに広がるバリエーションを大切にしています。

A LA MODE
AMERICA
marimekko
MARIMEKKO
Art for All
Brand Spaces
interiors
new retail
The Best Style

デザイナーやスタッフみんなの多様性が、いちばんの宝物

クリエイティヴ・ディレクターのミンナさんは、1989年にはじめてマリメッコでインターンシップを経験。入社してからショップスタッフやアシスタントをつとめ、その後に洋服のデザインを手がけるようになりました。長いキャリアの中で、会社に携わるすべての人々が大事な役割を担っていることを知ることができ、より一層マリメッコを愛するようになったというミンナさん。ブランドとしての個性も、さまざまなデザイナーさんが作り出してきた「スタイル」の多様性にあると考えています。この思いを大切に、常に新しい出会いを求め、フレッシュな魅力あふれる世界を生み出し続けています。

左:リネンのコートワンピースは、2013年春に発表した「ペステル・コレクション」の1着で、トゥーラ・ボイホネンさんのデザイン。右上:いちばん上のファブリックはヘンナマリ・アスンタさんによる「ウミ」。
右下:マイヤ・ロウエカリさんがデザインした「キッピス」柄のコンバース・スニーカー。

ウミ Umi 海 / キッピス Kippis 乾杯

左上：白黒の表紙の本と雑誌を集めたコーナー。右上：モノトーンのコーナーでは、透明のガラス器をディスプレイ。「ソックス・ロールド・ダウン」のガラスピッチャーに花をいけて。左中：2014年春夏コレクションに使用される色サンプル。左下：ノーラ・ニイニコスキさんとピア・リンネさんがデザインしたクッション。右下：『マリメッコ・フェノメノン』は、繰り返し読んでいる本のひとつ。

左上：愛用のiPhoneカバーは、マイヤ・ロウエカリさんがデザインした柄「ラシィマット」。受話器型のイヤホンレシーバーは黄色でコーディネート。左中：マリメッコのスピリッツを表すことばがプリントされたえんぴつ。右上：大きな黒いクリップを使った、美しいピンナップ・コーナー。左下：ローチェストの上には、明るい色あいの表紙の本と雑誌を集めて、カラフルに。右下：マイヤ・イソラさんがデザインした「ロッキ」柄のブランケット。

このアトリエは社内ではじめて持つことができた、自分だけのスペース。角部屋になっているので、おだやかで居心地がよく、集中して考えごとができます。

マリメッコのみんなが集まる食堂マリトリ
Maritori

オフィスの1階にある「マリトリ」は、マリメッコのスタッフたちが集まる社員食堂。ここでは、地元で採れたオーガニックな食材を使ったお料理が有名なレストラン「ユーリ」の味が日替わりで楽しめます。天井を飾るファブリックにテーブルクロス、食器はもちろんすべてマリメッコ。2012年夏から、ファクトリーショップを訪れるお客さんたちも利用できるようになりました。ビュッフェ形式のランチは、9.7ユーロ。デザイナーさんたちはもちろん、CEOのミカ・イハムオティラさんまで、マリメッコをおしゃれに着こなす皆さんを眺めているのも楽しい空間です。

お腹すいたね
\ Minulla on nälkä! /

ランチにしましょう！
Katsotaanpa lounas!

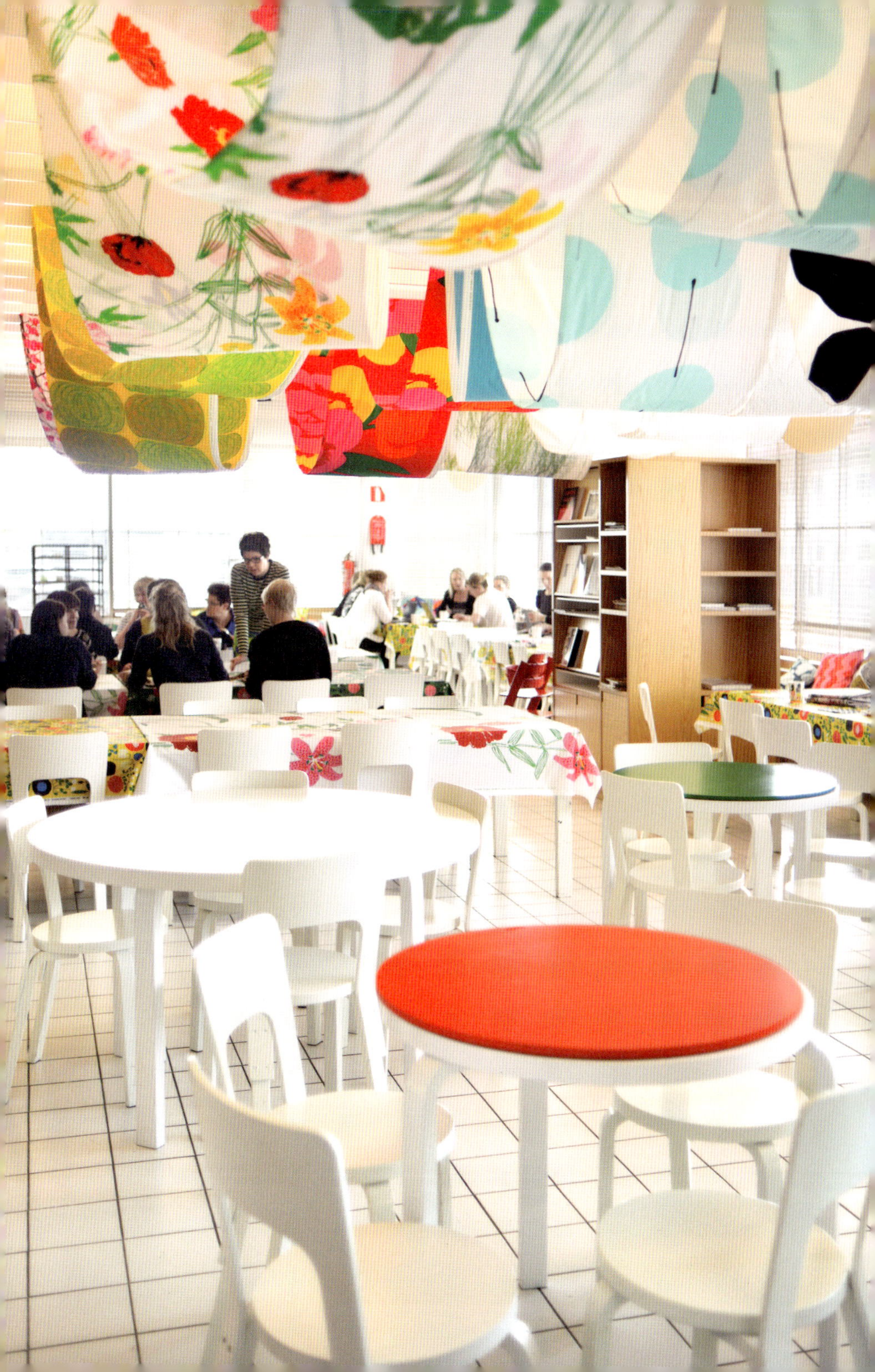

\ Today's Special /

今日のランチメニューは、ビートルート添えソーセージとビートルートのスープ、サラダにパン、そしてベリーパイ！
Sausage with beetroot, beetroot soup, salad, bread and berry pie

Sanna-Kaisa Niikko
エリ・シマツカさんデザインの「ベスティス」柄のトップスに赤い
ルージュのコーディネートが素敵なプレスのサンナ＝カイサさん。

Hanni Holmström-Kuokkala
人事部で働くハンニさんは、トゥーラ・ポイ
ホネンさんデザインのワンピースに定番の
ボーダーソックスをあわせて個性的に。

Mika Ihamuotila
CEOのミカさんも、マリトリで
ランチをとります。

Aino Ahlnäs
マーケティング・プランナーのアイノさんは、エルヤ・ヒルヴィさん
デザインの「ルミマルヤ」柄のトップス。シューズもマリメッコです。

ベスティス Bestis 親友 / ルミマルヤ Lumimarja 雪いちご

Studio Visit

Erja Hirvi

designer
エルヤ・ヒルヴィ

「ときどき頭の中にあるものを、取り出してみるの。
こんな感じに、思いついた花を描いてみたりして」
植物や動物の図鑑にはじまり、冒険の物語、民俗学に政治
読書が好きで、さまざまな本を手にするエルヤさん。
アトリエに置いていた本のページをめくりながら
おしゃべりをしていると「ほら！ここ、ここ」と
あっという間に、その世界に引きこまれていきます。
ディテールを観察する、細やかな視線から
ひらめきを得て、クリエーションの扉が開かれます。

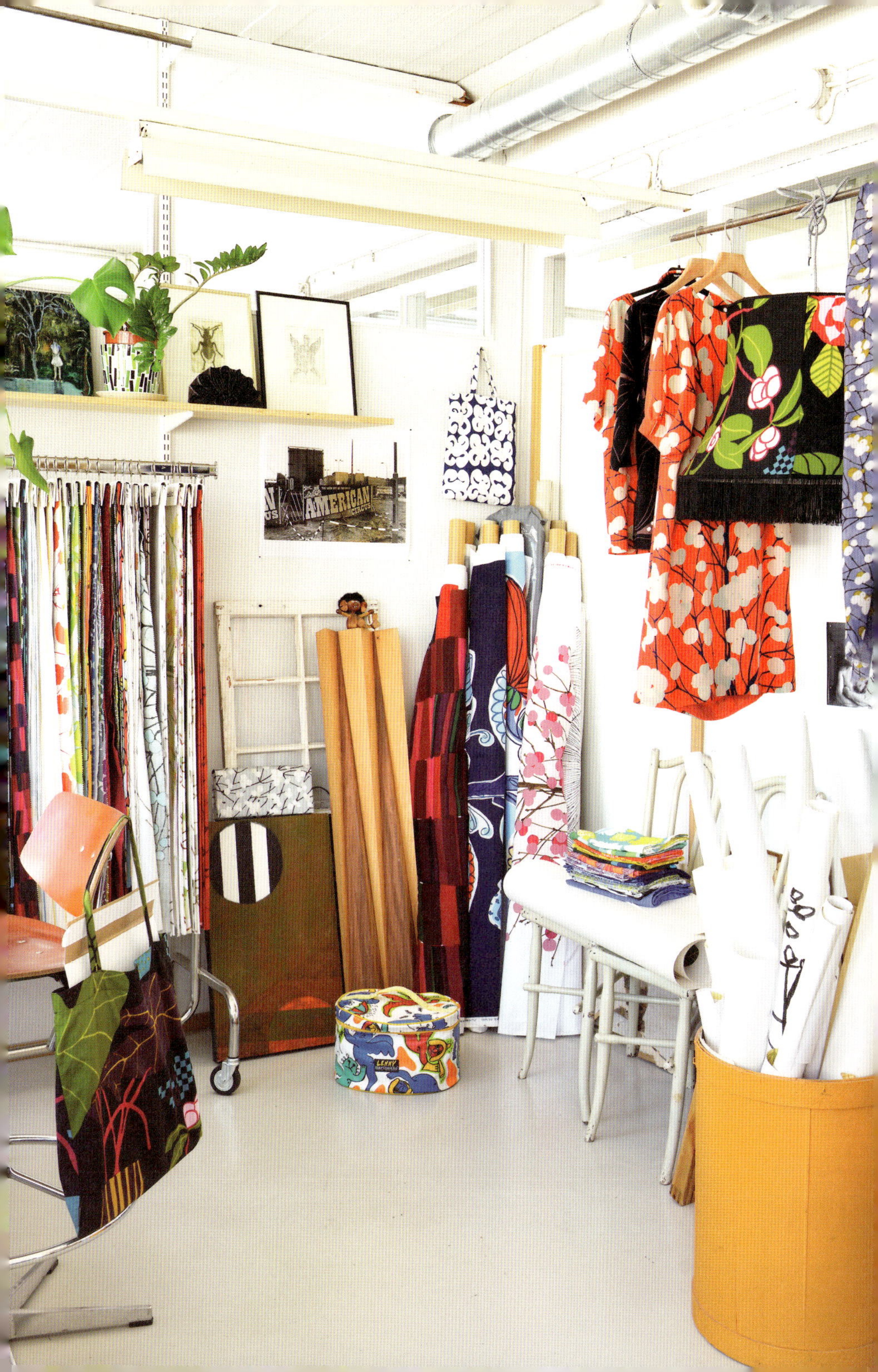

リアルとイマジネーションが溶けあう、ダイナミックなデザイン

テキスタイル・デザイナーのエルヤさんのアトリエは、ヘルシンキ北部ヴァッリラ地区の工業地帯に建つビルの一室。広々とした入り口近くのホールは、デザイナー仲間たちとシェアして、大きな窓のある部屋でクリエーションをしています。ドローイングでは、特にディテールを描きこむことを大切に。ドローイングが仕上がると、今度はファブリックの上でどんなサイズと色あいで表現するか、時間をかけて吟味しながらデザインをします。アトリエには、エルヤさんがいままでデザインしたマリメッコのファブリックがずらり。この生地を使って、バッグやクッションカバーなどを作ることも。

左：マリメッコのために描いた「キッサンミンッツ」のオリジナル・ドローイング。 右上：イソラ・ファミリーからの素敵な誕生日プレゼント。マリメッコの古いバッグの中には、マイヤ・イソラさんが使っていた筆も入っていました！ 右下：絵の具の試し書きに、ちょんちょんと頭と足を描き出したら、まるで人のように見えてきて……。

キッサンミンッツ Kissanminttu キャットニップ（植物）

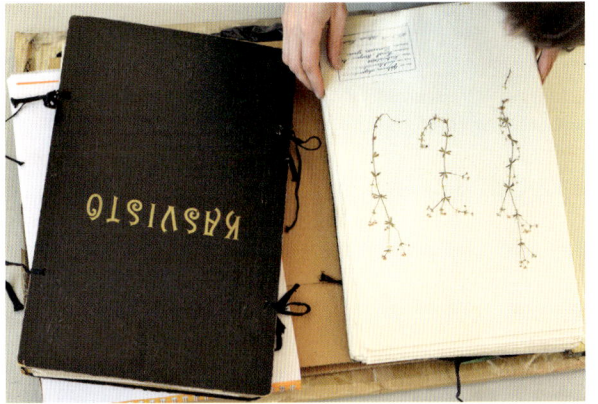

上:アクリル絵の具で描いた花たち。
中:友だちから譲り受けた押し花コレクション。1955年から58年まで、おばさんが手がけた押し花帳も大切にしています。左下:自然科学の動物図鑑を参考に、ネコのからだのつくりや動きにこだわって描いた「シニヴェリネン」の原画。中下:お気に入りのバッグは、持ち手がぼろぼろになるほど使いこんで。右下:エルヤさんデザインの「マラケシュ」柄のお皿に並べたシナモンロール。

シニヴェリネン Siniverinen 貴族 / マラケシュ Marrakech マラケシュ(地名)

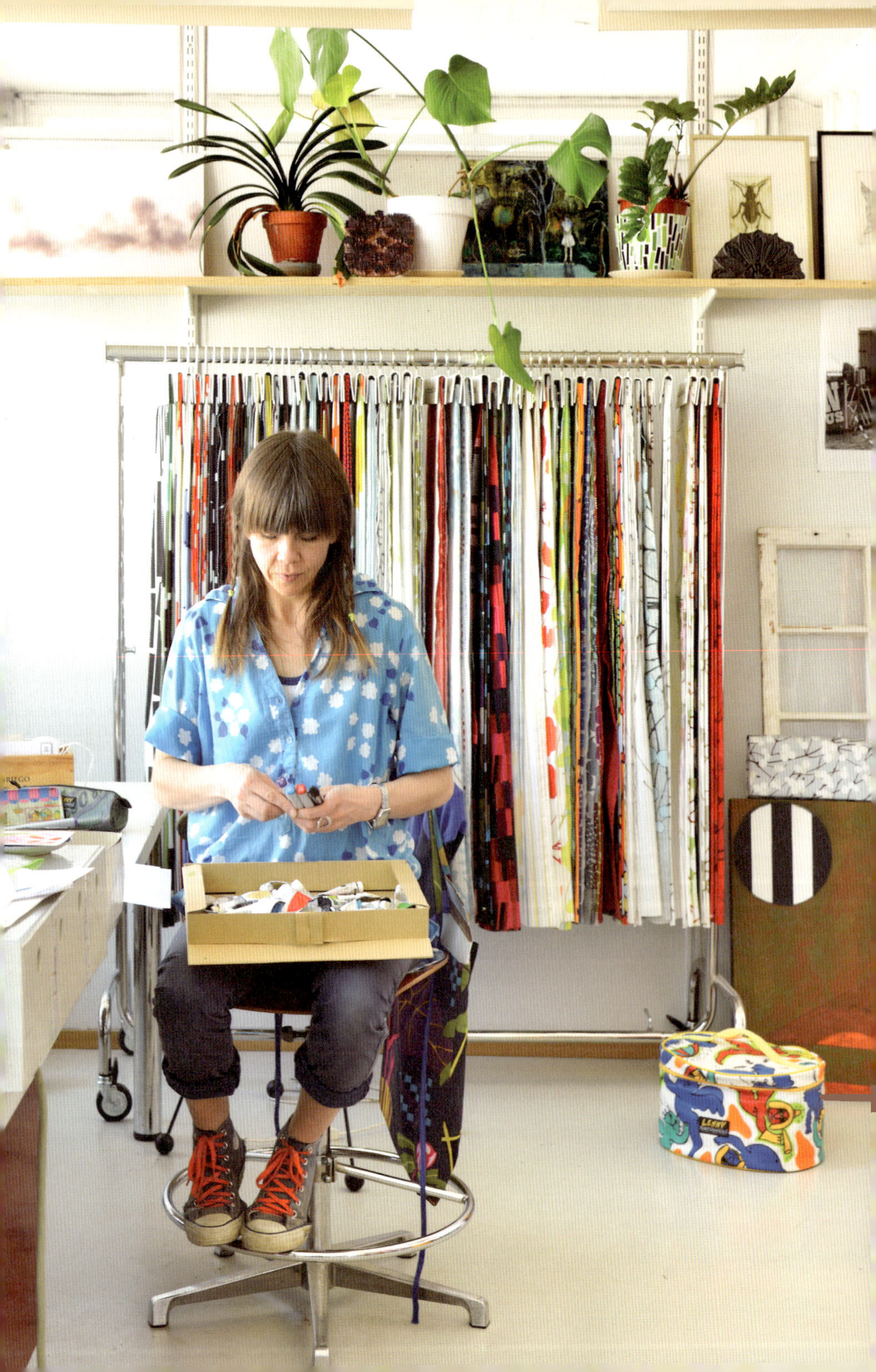

左上：「イックナプリンッシ」柄の生地を使って、友だちが作ったランプシェード。左中：DJとしても活躍するエルヤさん。古いレコードプレーヤーがデスクの上に。右上：ファブリックと同じサイズの紙に描いた「ヒイレンヴィルナ」の原画。左下：お料理のレシピ本を見ていたときに思いついたデザイン「プルヌッカ」はお気に入りのひとつ。右下：エルヤさんが撮影した、マリメッコの60周年記念を祝うパーティでの写真。

イックナプリンッシ Ikkunaprinssi 窓辺のプリンス / ヒイレンヴィルナ Hiirenvirna クサフジ（植物）/ プルヌッカ Purnukka 瓶

Studio Visit

Satu Maaranen

designer
サトゥ・マーラネン

ピンクとグリーン、ライトブルーとイエロー。
キャンバスの上で、混ざりあう色と色の美しさ。
いままで試したことがない、テクニックを取り入れて
マリメッコのファッション・ファブリックにも
フレッシュな風をもたらした、サトゥさん。
個性の異なるものどうしを、組みあわせることで
お互いの持ち味が引き立ち、いきいきとした作品に。
サトゥさんのデザインする、建築的なスタイルの洋服にも
力強さとエレガンス、相反する魅力が同居します。

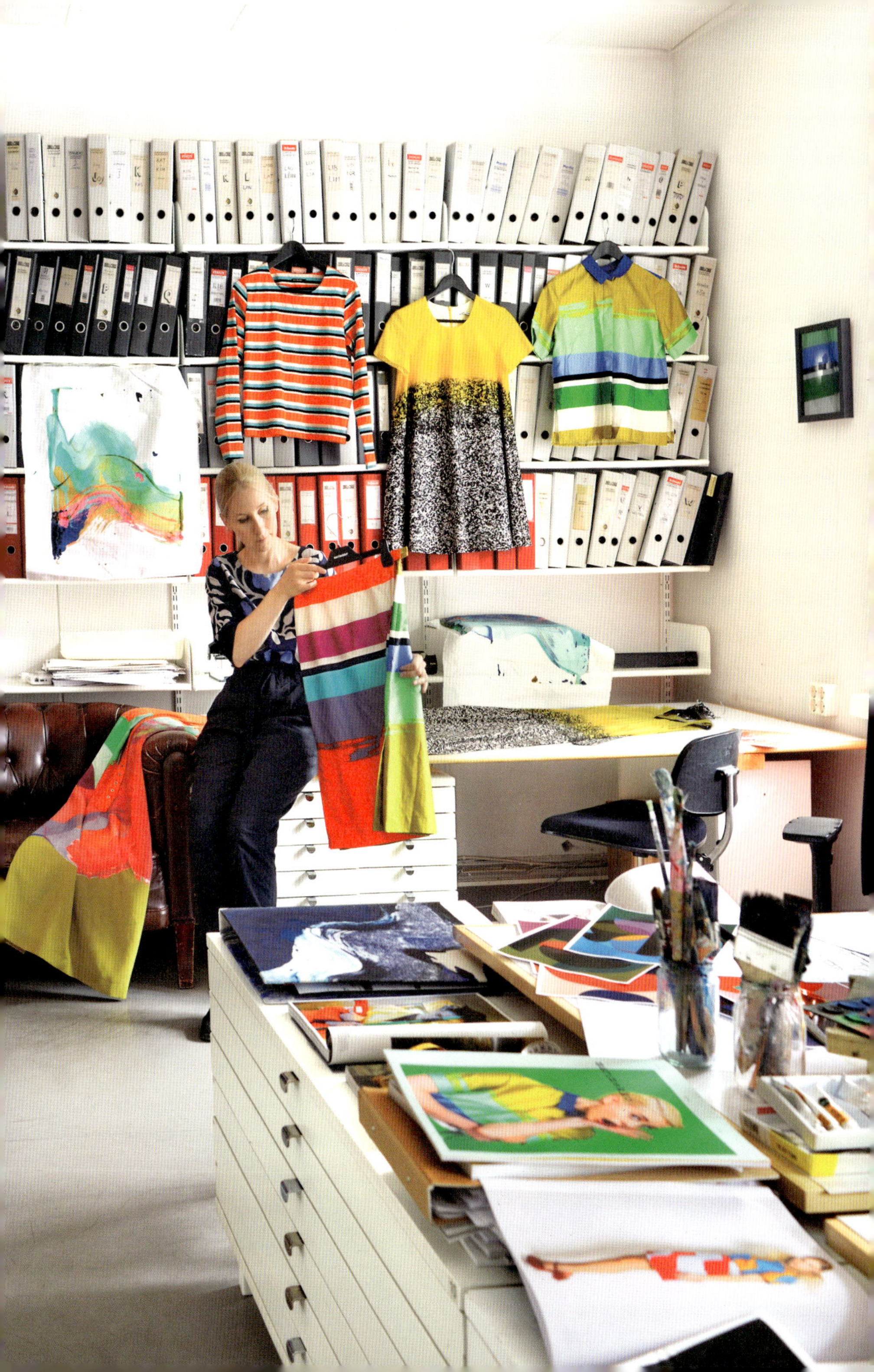

アートを感じる、優美なフィンランド・ファッション

ファッションデザイナーの登竜門、イエール国際フェスティバルのファッション部門で2013年度のグランプリに輝いたサトゥさん。ヘルシンキ南部カイヴォプイスト地区にあるアトリエを、デザイナー仲間とシェアしています。このアトリエは、もともと有名な建築家ユハニ・パッラスマーさんのもの。ユハニさんはマリメッコ創立者のアルミ・ラティアさんと親交があり、ショップ設計を手がけたこともある人物です。マリメッコとお仕事をはじめたときに「アート・ハウスへようこそ」と歓迎されたことを覚えているというサトゥさん。そのことばどおりアートに重点を置いた環境で、自由に創作ができると感じています。

サトゥさんのデスク・コーナー。窓にかけられた、たっぷりと美しいラッフルがたゆたうシャツは、2種類のシルクを素材に作ったもの。アールト大学在籍中にデザインしました。

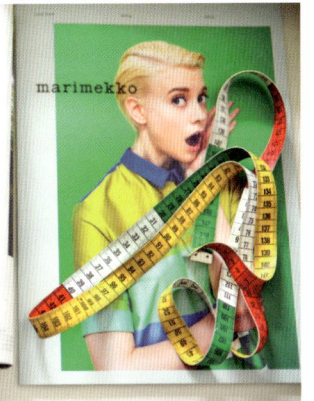

上:ペイントした紙を二つ折りにする、合わせ絵の手法を取り入れたドローイング。中:卒業制作のジャケットが掲載されたファッション誌「SSAW」と、サトゥさんデザインのシャツが表紙になったマリメッコの 2013年春のルックブック。左下:イエールに提出したファイル。自然や風景をテーマにしたコレクション「ガーメント・イン・ランドスケープ」を発表しました。中下:サトゥさんと、マリメッコで活躍するデザイナーのソフィア・ヤルネフェルトさんのふたりを取り上げた「SSAW」の記事。

上:デスクのある部屋の壁面には、ユハニさんの建築プロジェクトのファイルがぎっしりと並んでいます。サトゥさんが手にしているロングスカートは、商品化されなかったサンプル。プリント・デザインは、エリ・シマツカさんが手がけました。左下:道具棚は、ユハニさんが使っていたときからあるもの。右中:新しいコレクションを手がけるときは、たくさんのデザイン画を描きます。右下:マティスやソニア・ドローネなど、お気に入りの画集。

ユハニさんが残したライブラリー・ルームで、音楽を聴いて本を開く時間に、インスピレーションが浮かぶことも。ロマンティックな恋愛映画が好きというお話も聞かせてくれました。

Home Visit

Jenni Tuominen

designer
イェンニ・トゥオミネン

コーヒーを飲むときから、ベッドで横になるときまで
「気がついたら、一日中そばにいるマリメッコは
家族みたいな存在ね」と笑う、イェンニさん。
描くことが大好きで、商品化されたプリントもたくさん!
さまざまなアイテムを、おうちでも愛用しています。
テレビを見ているときも、サインペンを片手に
リラックスしながら、スケッチを楽しんで。
ノートを開くと、ちょっぴり不思議で、あたたかい
イマジネーション豊かな世界が広がります。

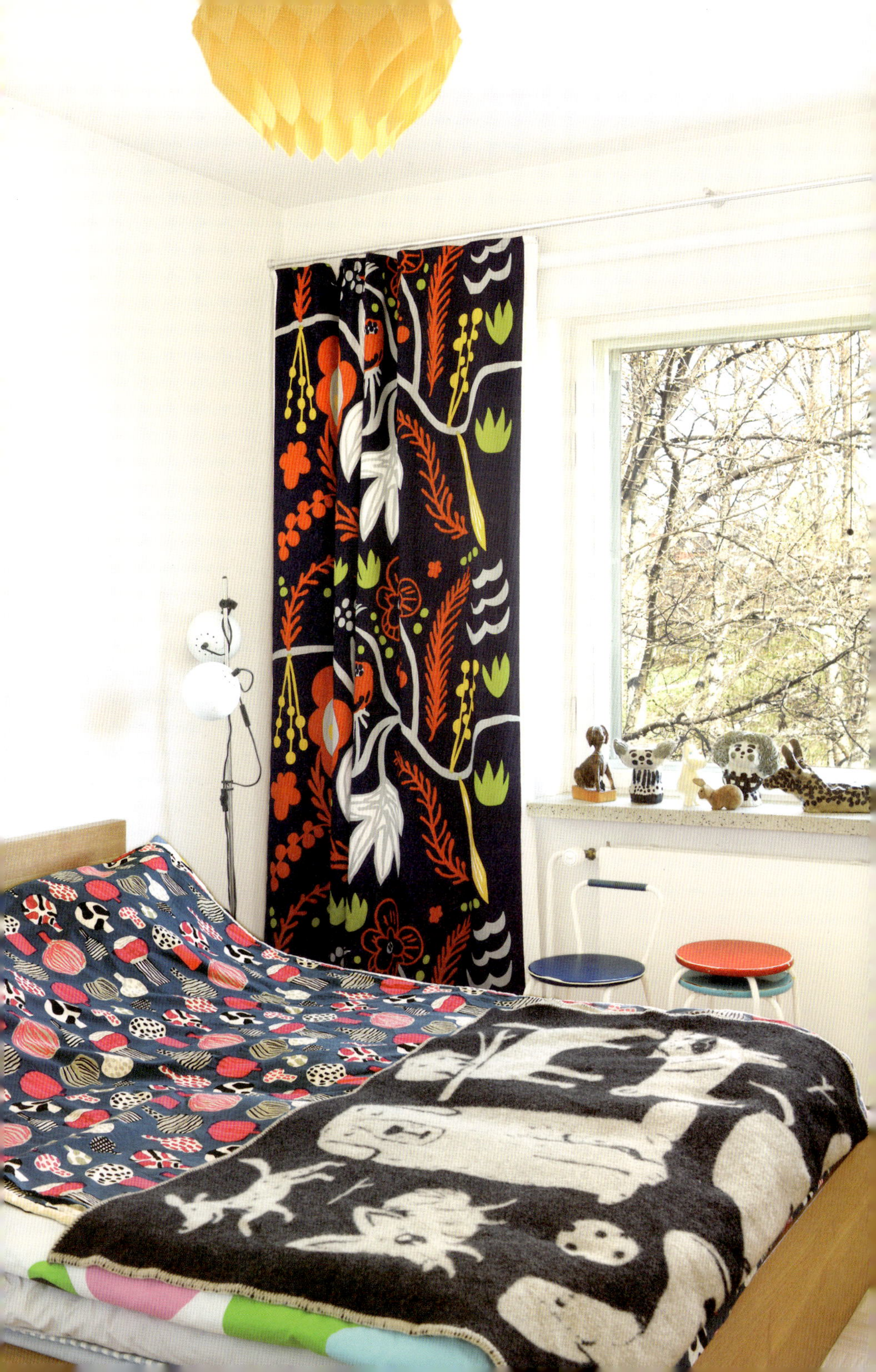

イマジネーション豊かなドローイングから生まれるワンダーランド

いつまでも失われない子どもごころをくすぐるユニークなデザインを発表しているイェンニさん。ヘルシンキから1時間ほどの距離にあるポルヴォーに、ご主人のユッカさんと一緒に暮らしています。お部屋を飾るのが好きというふたりは、フリーマーケットで見つけた家具をカスタマイズしたり、模様替えをしたり、インテリアを楽しんでいます。自宅やアトリエで描いた作品を持って、本社を定期的に訪ねているイェンニさん。マリメッコで自分もお気に入りの作品を選んでもらえて、原画のイメージそのままの商品が仕上がることを、デザイナーとして、とてもうれしく感じています。

左：リビングの本棚には、さまざまなアートブックが並びます。籐のイスには、イェンニさんがデザインした「コロナ」の生地を使ったクッションを置いて。右上：2006年マリメッコ主催のコンペティションで入賞し、デビュー作となった「ウネッサ」の原画。右下：「クークナ」を描くときに参考にした、きのこ図鑑。

コロナ Korona キャロム（ボードゲーム）／ ウネッサ Unessa 夢の中 ／ クークナ Kuukuna ホコリタケ

左上：シマウマをシルクスクリーン印刷したレザーチェアは、ユッカさんとのデザイン会社、ソルサブッキでの作品。
左中：女性デザイナーたちへの尊敬をこめて描いたスケッチ。右上：立ったまま描くのが好きというイェンニさんのためのハイデスク・コーナー。切り絵から生まれた「アストロ」をカーテンに。左下：2012年秋キッズ・コレクションで発表した「ペナーリ」。右下：「ライヴァコイラ」から生まれたあみぐるみは、マリメッコとアン=クレール・プチのコラボ。

アストロ Astro 天体 / ペナーリ Penaali 筆箱 / ライヴァコイラ Laivakoira ボート犬

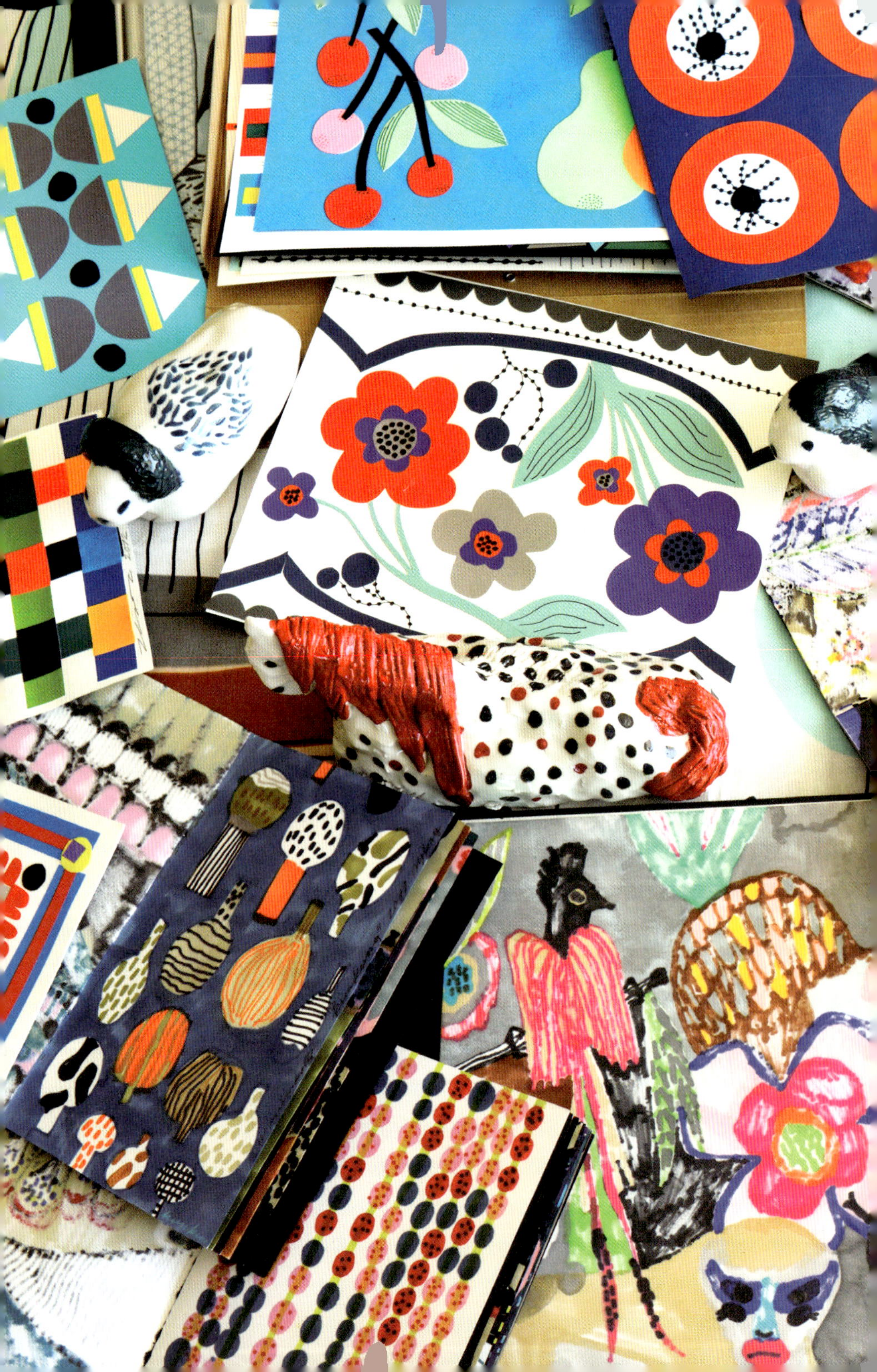

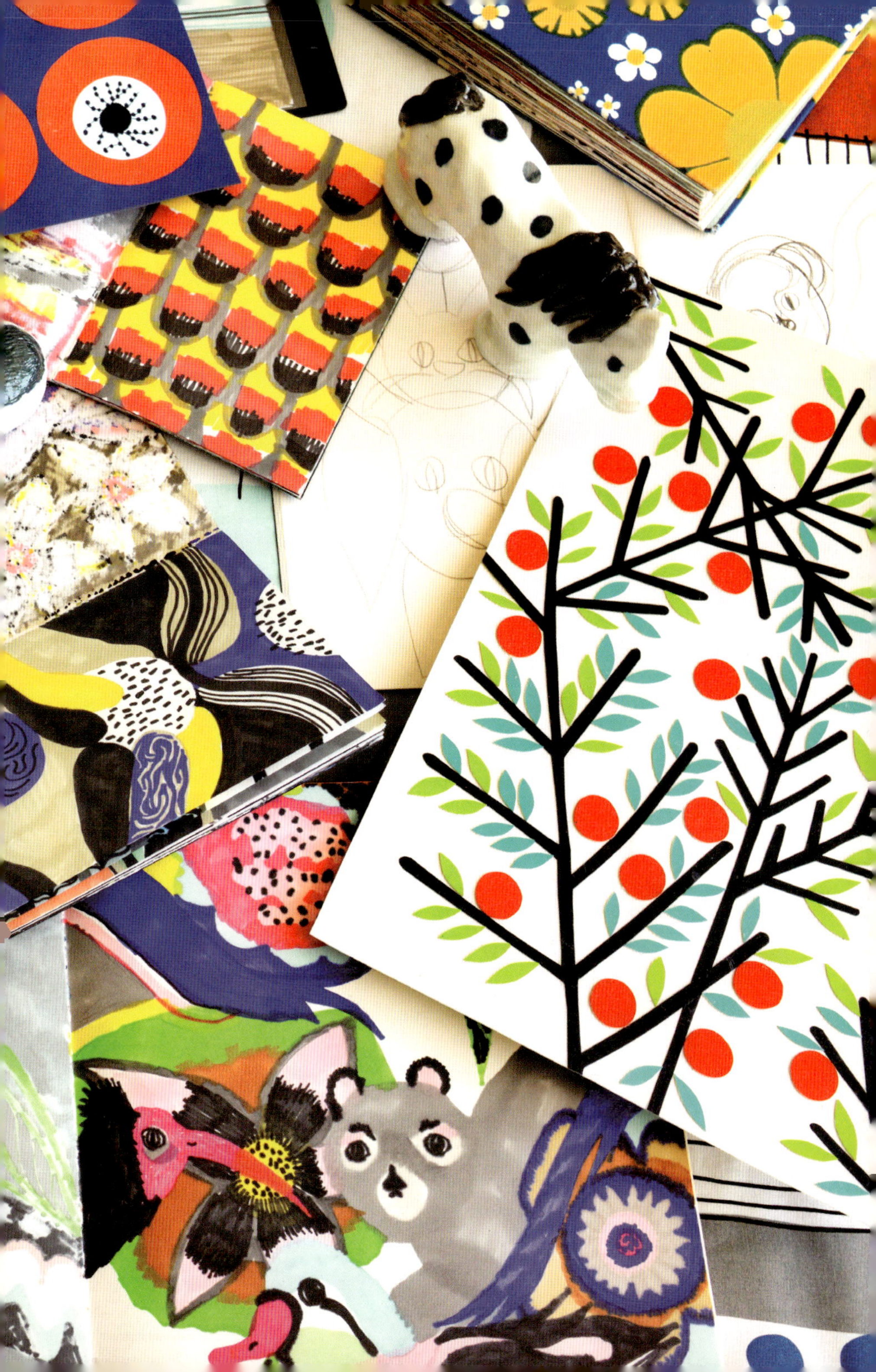

Visiting Jenni's Studio

ポルヴォー川の西岸は、いま開発が進んでいる新しいエリア。その一環として工場を改装して生まれた、集合アトリエ「アート・ファクトリー」のイェンニさんのお部屋を訪ねました。

ポルヴォーはフィンランドで2番目に古い街。長い歴史を感じるオールド・タウンが有名ですが、西岸でもその木造建築の造りや色使いをいかした新しい街づくりが進んでいます。

左:アトリエの棚には、マリメッコで発表したファブリックや雑貨と一緒に、イェンニさんがオリジナルで発表した犬や馬のレザークッションも。右:愛用のイタリア製の紙を出して、水彩で青や赤のベリーを描いてくれました。

2着のドレスは、どちらもイェンニさんがパターンをデザインしたもの。左側「モンバサ」のドレスはノーラ・ニイニコスキさん、右側「ピック・ヤツスキ」のドレスは大田舞さんのファッション・デザイン。
ピック・ヤツスキ Pikku jätski 小さなアイスクリーム
モンバサ Mombasa モンバサ（地名）

Shopping in Helsinki

マリクルマ・フラッグシップストア
MARIMEKKO MARIKULMA FLAGSHIP STORE

Pohjoisesplanadi 33, 00100 Helsinki
Open : Mon–Fri 10–20 Sat 10–17 Sun 12–17

ヘルシンキの中心部エスプラナーディ通り沿いにある、マリクルマ・フラッグシップストア。洋服やアクセサリーはもちろん、インテリア雑貨、計り売りのファブリックまで、全コレクションが揃います。2フロアのゆったりとした店内のあちこちで、商品の背景にあるストーリーを感じさせるディスプレイも楽しむことができます。

1階の奥にあるキッズ・コーナー。壁面に並んだコーディネートが参考になります。カイサさんのおすすめはマイヤ・イソラさんデザインのいちご柄「マンシッカ」のスタイル。

2階の中央にある、キッチン・アイテムとテーブルウェアのコーナー。ティーナさんの手には、お料理を楽しくしてくれる「ウニッコ」のオープンミトン。

マンシッカ Mansikka いちご / ウニッコ Unikko ケシの花

エスプラナーディ通りが眺められる大きな窓のそばは、バッグやポーチのコーナー。トゥーラ・ポイホネンさんデザインのバッグをおすすめしてくれたテロさんは、日本語がお上手です。

マリメッコが紹介された本が集まったカウンターは、ショッピングのあいまのリフレッシュにぴったり。

2階のファッション・コーナーには、リラックス気分の洋服が集められています。エミリアさんが持つワンピースは、アクセサリー使いでドレスアップもできるアイテム。

マリカハヴィラ
MARIKAHVILA
Open : Mon-Fri 10-19 Sat 10-18

ショッピングが終わったら、キッズ・コーナーの奥にある階段を降りて、半地下になった場所にある、マリカハヴィラでひとやすみしませんか？トナカイのパテを挟んだライ麦サンドイッチなどの軽い食事や、フィンランドで昔から親しまれているスイーツを、マリメッコの食器で楽しむことができます。

Shopping in Helsinki

アレクシンクルマ店
MARIMEKKO ALEKSINKULMA

Aleksanterinkatu 50, 00100 Helsinki
Open : Mon-Fri 10-20 Sat 10-18 Sun 12-18

アレクシンクルマは、フィンランド最大の百貨店ストックマンの向かいに2012年にオープンしたファッション・ストア。これまでの店舗と違って、純粋にファッションを楽しんでもらいたいと、洋服とアクセサリー類のコーディネートを提案しています。年に数回行われる、新しいコレクションと音楽を楽しむイベント「スカート・フライデー」に出会ったら、ぜひ参加してみて！

「アスリープ」コレクションのドレスを着たサラさんの手には、2013年春に発表されたマイヤ・イソラさんデザインの「マンシッカ」柄のコンバース。

マンシッカ Mansikka いちご

ひざ丈スカートでシックな装いのオーナさんが紹介してくれたチュニックは、大きなポケットがアクセント。遊びごころあふれるネックレスをコーディネートして。

Shopping in Helsinki

ヘルットニエミ店＆ヴィンッティ
MARIMEKKO HERTTONIEMI & VINTTI

Kirvesmiehenkatu 7, 00880 Helsinki
Open : Mon-Fri 10-18 Sat 10-16

本社と同じ建物内にあるショップは、ふたつのコーナーに分かれています。階段の上が、新しいコレクションを取り扱っているヘルットニエミ店。そして下のフロアが、フィンランド語で屋根裏部屋を意味する「ヴィンッティ」と呼ばれるアウトレット・ショップ。最新のデザインと掘り出し物探し、両方が楽しめるぜいたくな空間です。

ヘルットニエミ店は、工場からそのまま商品がやってきたような雰囲気を楽しめる空間です。マリメッコのファブリックで包装したギフトボックスのディスプレイも素敵です。

ヴィンッティ・コーナーで人気を集める、計り売りのファブリック。マーッティーナさんが手にしている脇阪克二さんデザインの「ピック・ブ・ブー」は日本からのツーリストたちにも人気。

窓からの光を受けて、美しく輝く「ソックス・ロールド・ダウン」シリーズのステムグラス。居心地のよい屋根裏部屋のような店内で、宝物探しの時間を楽しんで。

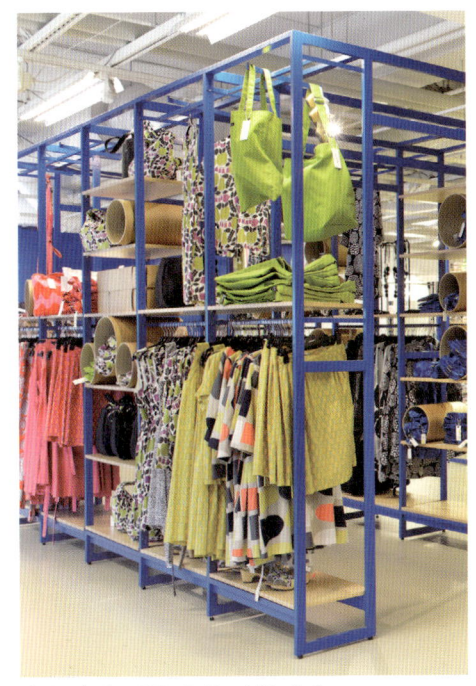

青いフレーム・ラックに並んだ洋服たち。前シーズンのコレクションが、だいたい30パーセント・オフの価格で手に入るので、自分のサイズが見つかったら、ぜひ！

ピック・ブ・ブー　Pikku Bo Boo　小さいブ・ブー

Shopping in Helsinki

ハカニエミ・マーケットホール店
MARIMEKKO HAKANIEMEN KAUPPAHALLI

Hakaniemen Kauppahalli, 00530 Helsinki
Open : Mon–Fri 9–17.30 Sat 9 15

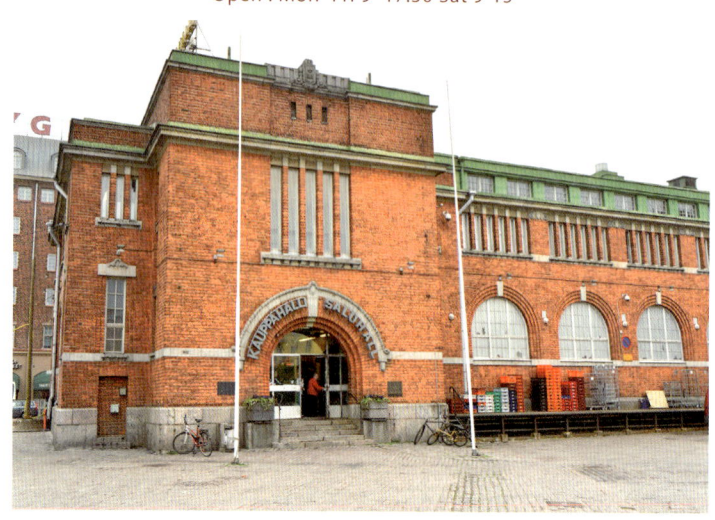

れんが造りの建物が美しいハカニエミ・マーケットホールは、2014年で100周年を迎える歴史あるショッピングセンター。マリメッコは、その2階に1972年からショップを構えています。ツーリストもたくさんやってくるということで、スタッフが日本語であいさつしてくれるなど、とてもフレンドリー。マーケットのあたたかい雰囲気が感じられます。

マーケットホール独自の木のカウンターに囲まれていて、ほかのマリメッコとはちょっぴり異なるインテリア。おみやげ用の小さな雑貨も多く取り揃えられています。

「ホール全体が、小さな村のような雰囲気で居心地がいいの」というネッラさんは、マイヤ・イソラさんがデザインした「タンツ」柄がお気に入り。

タンツ Iantsu タンス

124

Shopping in Tokyo

東京・表参道店
MARIMEKKO OMOTESANDO

Espoir Omotesando Annex 1, 4-25-18 Jingumae, Shibuya-ku Tokyo
Open : Mon–Sun 11.30-20

表参道から通りを1本入った場所にある、小さな白い箱のような愛らしい外観の表参道店。いまでは北海道から九州までショップがありますが、ここが日本ではじめての直営店です。1階に並ぶバッグや文房具などの小物類からはじまって、ファッション、インテリア、計り売りのファブリックまで、暮らしとともにあるマリメッコの世界にひたれる空間です。

月替わりで新しいパターンが登場するポーチ「マンスリー・クッカロ」は、日本だけのお楽しみ。表参道店の大塚万里奈さんとプレスの藤澤真帆さん。「ピサロイ」柄のショルダーバッグと「ピエニ・ウニッコ」柄のトートバッグを手に。

ピサロイ Pisaroi しずく / ピエニ・ウニッコ Pieni Unikko 小さなケシの花

125

The editorial team

édition PAUMES

Photographs : Hisashi Tokuyoshi
Design : Kei Yamazaki, Megumi Mori
Illustrations : Kei Yamazaki
Text : Coco Tashima
Coordination : Anna Varakas
Editor : Coco Tashima
Editorial Advisor : Fumie Shimoji
Sales Manager : Rie Sakai
Sales Manager in Japan : Tomoko Osada
Art Direction : Hisashi Tokuyoshi

Contact : info@paumes.com   www.paumes.com

Impression : Makoto Printing System
Distribution : Shufunotomosha

We would like to thank all designers and people at Marimekko who have contributed to this book.

édition PAUMES　ジュウ・ドゥ・ポウム

ジュウ・ドゥ・ポウムは、フランスをはじめ海外のアーティストたちの日本での活動をプロデュースするエージェントとしてスタートしました。魅力的なアーティストたちのことを、より広く知ってもらいたいという思いから、クリエーションシリーズ、ガイドシリーズといった数多くの書籍を手がけています。近著には「パリの子どもインテリア」「パリのお菓子屋さんアルバム」などがあります。ジュウ・ドゥ・ポウムの詳しい情報は、www.paumes.comをご覧ください。

また、アーティストの作品に直接触れてもらうスペースとして生まれた「ギャラリー・ドゥー・ディマンシュ」は、インテリア雑貨や絵本、アクセサリーなど、アーティストの作品をセレクトしたギャラリーショップ。ギャラリースペースで行われる展示会も、さまざまなアーティストとの出会いの場として好評です。ショップの情報は、www.2dimanche.comをご覧ください。

marimekko®

HELSINKI

matkatori

Thanks to :

Marimekko マリメッコ　www.marimekko.com, www.marimekko.jp

Visit Helsinki ヘルシンキ市観光局　www.visithelsinki.fi/ja
　ヘルシンキ市観光案内所　Pohjoisesplanadi 19
　5月15日〜9月14日：月‐金 9:00-20:00、土・日 10:00-18:00
　9月15日〜5月14日：月‐金 9:00-18:00、土・日 10:00-16:00
　ヘルシンキ中央駅構内観光案内所
　6月1日〜8月31日 月‐金 9:00-18:00、土・日 9:00-17:00
　9月1日〜5月31日 月‐金 9:00-16:30、土 10:00-16:00

Matkatori マトカトリ　www.matkatori.jp
　東京都中央区東日本橋 3-9-11 From East Tokyo 5F
　火‐土 10:00-12:00、13:00-18:00

Marimekko Designers -Life and Creations
マリメッコのデザイナーの暮らし

2013 年　10 月 20 日　初版第　1 刷発行

著者：ジュウ・ドゥ・ポウム

発行人：徳吉 久、下地 文恵
発行所：有限会社 ジュウ・ドゥ・ポウム
　　　　〒 150-0001 東京都渋谷区神宮前 3-5-6
　　　　編集部 TEL / 03-5413-5541
　　　　www.paumes.com

発売元：株式会社 主婦の友社
　　　　〒 101-8911 東京都千代田区神田駿河台 2-9
　　　　販売部 TEL / 03-5280-7551

印刷製本：マコト印刷株式会社

Photos © Hisashi Tokuyoshi
© édition PAUMES 2013 Printed in Japan
ISBN978-4-07-290877-8

Ⓡ＜日本複写権センター委託出版物＞
本書(誌)を無断で複写複製(電子化を含む)することは、著作権法上の例外
を除き、禁じられています。本書(誌)をコピーされる場合は、事前に日本
複写権センター(JRRC)の許諾を受けてください。
また本書を代行業者等の第三者に依頼してスキャンやデジタル化すること
は、たとえ個人や家庭内での利用であっても、一切認められておりません。
日本複写権センター(JRRC)
http://www.jrrc.or.jp　eメール：info@jrrc.or.jp　電話：03-3401-2382

＊乱丁本、落丁本はおとりかえします。お買い求めの書店か、
　主婦の友社 販売部 03-5280-7551 にご連絡下さい。
＊記事内容に関する場合はジュウ・ドゥ・ポウム 03-5413-5541 まで。
＊主婦の友社発売の書籍・ムックのご注文はお近くの書店か、
　コールセンター 049-259-1236 まで。主婦の友社ホームページ
　http://www.shufunotomo.co.jp/ からもお申込できます。

ジュウ・ドゥ・ポゥムのクリエーションシリーズ

アーティスト家族16軒の住まいと暮らし
Finland Family Style
フィンランドのファミリースタイル

著者：ジュウ・ドゥ・ポゥム
ISBNコード：978-4-07-274861-9
判型：A5・本文 128 ページ・オールカラー
本体価格：1,800 円（税別）

子どもたちの夢いっぱい、かわいいインテリア
Finland Children's Rooms
フィンランドの子ども部屋

著者：ジュウ・ドゥ・ポゥム
ISBNコード：978-4-07-280749-1
判型：A5・本文 128 ページ・オールカラー
本体価格：1,800 円（税別）

さまざまなスタイルが楽しめるインテリアブック
Finland Apartments
フィンランドのアパルトマン

著者：ジュウ・ドゥ・ポゥム
ISBNコード：978-4-07-279901-7
判型：A5・本文 128 ページ・オールカラー
本体価格：1,800 円（税別）

ナチュラルな北欧のライフスタイルを感じて
Finland Gardens
フィンランドのガーデニング

著者：ジュウ・ドゥ・ポゥム
ISBNコード：978-4-07-286887-4
判型：A5・本文 128 ページ・オールカラー
本体価格：1,800 円（税別）

インテリアのアイデアが詰まったフォトブック
Nordic Deco Ideas
北欧デコ・アイデアブック

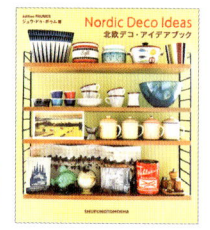

著者：ジュウ・ドゥ・ポゥム
ISBNコード：978-4-07-283475-6
判型：A5変型・本文 128 ページ・オールカラー
本体価格：1,800 円（税別）

子どもたちのための北欧デザイン・フォトブック
Nordic Deco Ideas for Kids' Rooms
北欧の子ども部屋デコ・アイデアブック

著者：ジュウ・ドゥ・ポゥム
ISBNコード：978-4-07-286485-2
判型：A5変型・本文 128 ページ・オールカラー
本体価格：1,800 円（税別）

www.paumes.com

ご注文はお近くの書店、または主婦の友社コールセンター（049-259-1236）まで。
主婦の友社ホームページ（http://www.shufunotomo.co.jp/）からもお申込できます。